Conception et textes :
Émilie Beaumont
Marie-Renée Guilloret

Images :
Bernard Alunni
Marie-Christine Lemayeur

FLEURUS ÉDITIONS, 57, rue Gaston Tessier 75019 Paris
www.fleuruseditions.com

SOMMAIRE

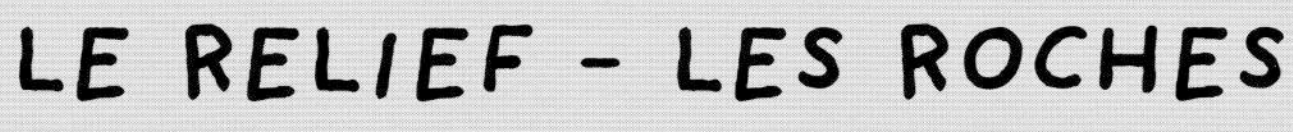

LES ANIMAUX

LA NAISSANCE D'UN ÉLÉPHANTEAU

C'est la saison des amours. Les éléphants mâles se sont battus, et le gagnant a conquis une femelle. Ils vont se reproduire.

Une femelle et un mâle se rencontrent. Ils se font des câlins, s'accouplent pour avoir un petit, puis se séparent.

L'éléphanteau est un mammifère. Avant de naître, il se développe dans le corps de sa maman. Celle-ci met bas en position debout, souvent aidée par d'autres éléphantes. Le petit tombe au sol et se lève presque aussitôt. Il cherche les mamelles de sa mère pour téter.

Chez les éléphants, le temps de la grossesse, qu'on appelle la gestation, est très long : il dure presque 2 ans.

L'éléphanteau nouveau-né est un gros bébé qui pèse déjà 100 kilos ! Il est capable de marcher au bout d'une demi-heure. Ses tantes et cousines l'entourent et le cajolent. Elles s'occuperont de lui si sa maman vient à s'absenter.

L'éléphanteau tète le lait de sa maman pendant 2 ans.

Très attentive, la femelle surveille et protège son petit.

AUTRES NOUVEAU-NÉS DÉJÀ FORMÉS

Comme l'éléphant, la plupart des autres mammifères donnent naissance à des petits déjà formés. En voici quelques exemples.

Le pauvre girafon commence sa vie en chutant de 2 mètres de haut ! Mais il ne se fait pas mal et se redresse vite.

Blottie au fond de sa tanière, maman ourse met au monde des oursons minuscules, qui grandiront bien vite.

Le petit faon ne ressemble pas à sa maman. Il est couvert de taches blanches, qui disparaîtront ensuite.

Si maman lion sent que ses petits sont en danger, elle les change de cachette en les transportant dans sa gueule.

Bébé dauphin et bébé phoque se développent également dans le corps de leur mère. Maman dauphin n'a pas de mamelles : son lait sort par des fentes situées sous son ventre !

Après presque une année passée dans le ventre de sa mère, le petit dauphin sort queue la première. Très vite, sa maman, aidée par d'autres femelles, les tantes, le pousse vers la surface pour qu'il prenne sa première respiration.

Maman phoque aussi donne naissance à un petit déjà formé ! Il est tout mignon avec sa fourrure blanche qui changera de couleur lorsqu'il aura 1 mois. Sitôt né, bébé phoque tète. Puis, au bout de quelques semaines, il se nourrit de poisson.

LE BÉBÉ KANGOUROU

Chez les kangourous, la femelle possède sur le ventre une poche dans laquelle les petits se développent.

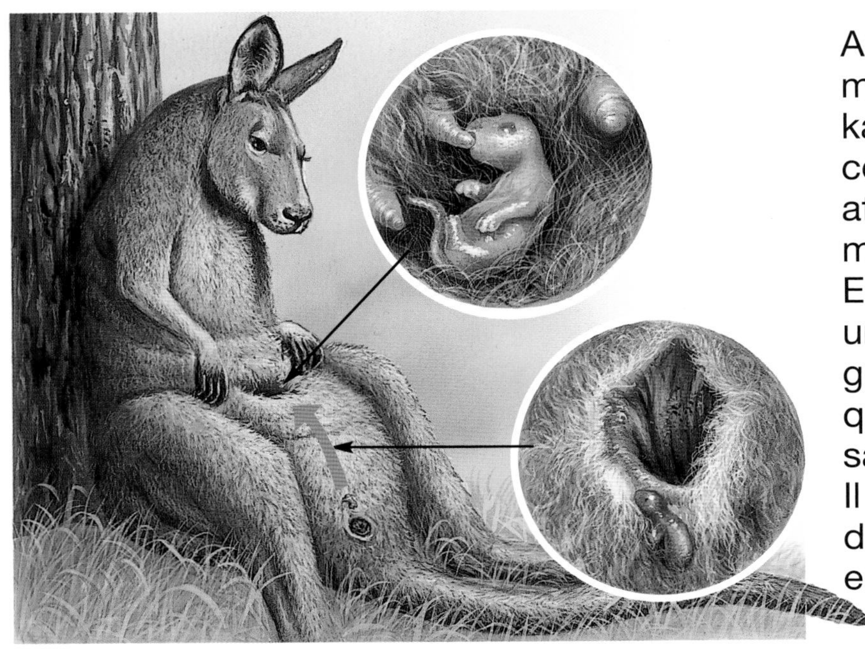

Au moment de mettre bas, la femelle kangourou s'adosse contre un arbre afin de prendre la meilleure position. Elle expulse son petit, une larve pas plus grosse qu'un pouce, qui va ramper jusqu'à sa poche ventrale. Il s'y développera durant 6 mois en tétant le lait de sa mère.

Une fois que le petit est complètement formé, il reste encore 4 mois dans la poche ventrale de sa maman, qui le promène partout où elle va. Il tète jusqu'à 1 an environ et est ensuite capable de se débrouiller tout seul.

NAISSANCE CHEZ LES OISEAUX

Les oisillons se développent non pas dans le corps de leur mère, mais dans un œuf que l'un des deux parents couve jusqu'à son éclosion.

Papa et maman grèbe préparent ensemble un nid avec des feuilles et des végétaux trouvés au fond de l'eau.

Quand le nid est suffisamment solide, les oiseaux s'accouplent, puis la femelle pond 2 à 4 œufs.

Pendant plusieurs semaines, papa et maman grèbe couvent les œufs à tour de rôle, pour les maintenir au chaud.

Grâce à une petite dent qui se trouve au bout de leur bec, les petits percent leur coquille et sortent de l'œuf.

LE DÉVELOPPEMENT DU POUSSIN DANS L'ŒUF

L'embryon a besoin de chaleur pour se développer.
C'est pourquoi les œufs sont couvés.

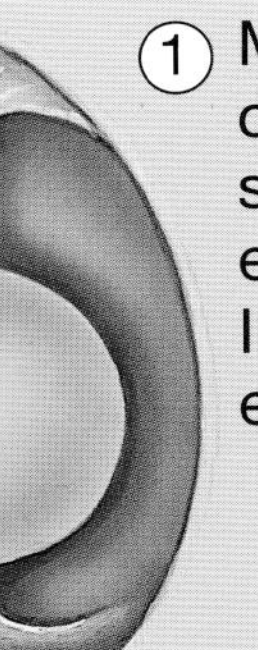

① Minuscule dans sa coquille, l'embryon se nourrit du jaune et du blanc de l'œuf. Il ne ressemble pas encore à un poussin.

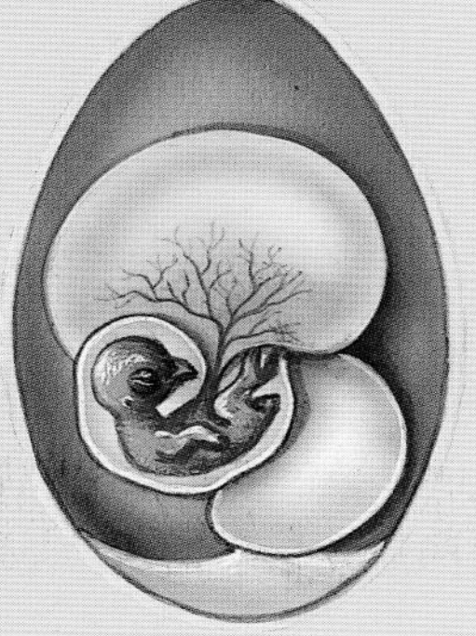

② L'embryon continue à grossir. Ses déchets sont stockés dans une poche spéciale.

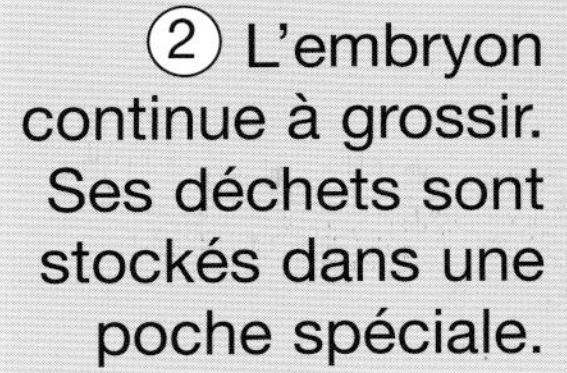

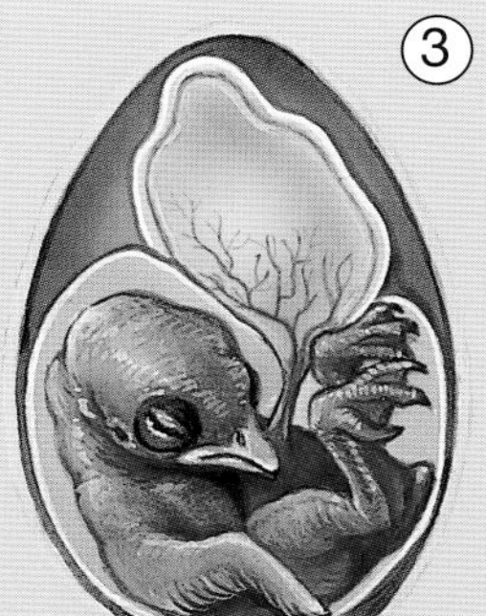

③ Le poussin grandit de plus en plus et occupe presque toute la coquille.

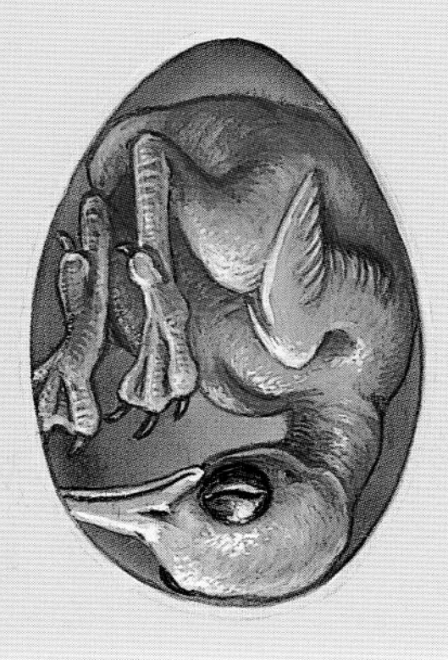

④ Juste avant l'éclosion, on entend parfois l'oisillon piailler. Le jaune dont il s'est nourri a disparu. Enfin, il peut briser sa coquille...

L'un des parents grèbes promène ses petits sur l'eau en les transportant entre ses plumes. L'autre parent leur rapporte du poisson pour leur repas. Mais, auparavant, il l'a trempé dans l'eau comme pour le nettoyer !

LEURS PETITS SORTIRONT D'UN ŒUF

Il n'y a pas que les oiseaux qui pondent des œufs. Selon les espèces, les œufs sont petits ou gros, mous ou bien durs.

Le poisson pond des milliers d'œufs et les abandonne ensuite.

Chez les manchots, c'est la maman qui pond l'œuf et le papa qui couve.

La coquille des œufs de serpent est molle, mais très résistante.

L'escargot pond des œufs par le trou situé derrière ses cornes.

Dans la fourmilière, la reine des fourmis passe sa vie à pondre.

Au fond de sa grotte, la pieuvre protège ses œufs disposés en grappes.

Beaucoup d'animaux construisent des nids pour élever leurs petits. Mais d'autres, une fois qu'ils ont pondu, s'en vont et ne s'en occupent pas du tout !

Il y a très longtemps, les dinosaures pondaient leurs œufs dans des nids creusés dans la terre. Un peu comme les oiseaux, les bébés devaient posséder une petite corne sur le bout de leur nez qui leur permettait de briser leur coquille.

Bébé crocodile perce son œuf à l'aide d'une petite dent. S'il n'y arrive pas, maman vient à sa rescousse !

Maman tortue abandonne ses œufs dans le sable. Les petits devront retrouver seuls le chemin de la mer !

DU TÊTARD À LA GRENOUILLE

Il s'en passe des choses dans la mare ! L'histoire commence par la rencontre d'un papa et d'une maman grenouille.

Le mâle et la femelle s'accouplent.

La femelle pond des milliers d'œufs.

De nombreux petits têtards éclosent.

Deux pattes palmées apparaissent.

La queue rétrécit, les pattes avant sortent.

Le têtard devenu grenouille quitte l'eau.

DE LA CHENILLE AU PAPILLON

Quand tu rencontres une chenille sur le chemin,
imagines-tu qu'elle deviendra... un papillon ?

Le mâle et la femelle papillon s'accouplent.

La femelle pond ses œufs sur une feuille.

Une chenille sort de l'œuf et grignote.

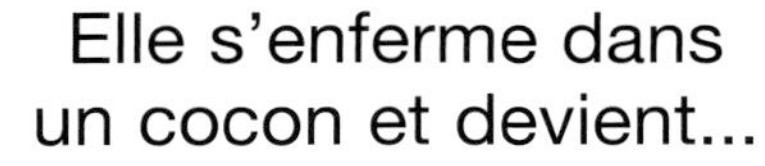

Elle s'enferme dans un cocon et devient...

un beau papillon, aux ailes encore repliées.

Le papillon nettoie ses ailes et s'envole.

LES CHASSEURS

Ces animaux se nourrissent de chair animale.
Ils coursent leurs proies ou leur tendent des pièges.

La chouette est un chasseur solitaire. Elle a de très bons yeux et une ouïe fine. Elle fond sans bruit sur sa proie et la saisit de ses griffes acérées. Elle l'avale tout entière, puis rejette par le bec les os et les poils dans une petite pelote.

Certains animaux, comme les loups, chassent à plusieurs.
Ils peuvent ainsi s'attaquer à de plus grosses proies !

LES HERBIVORES

Ils ne mangent que des végétaux. Ils broient l'herbe ou les feuilles grâce à de larges dents plates qui poussent continuellement.

À la saison des pluies, le rhinocéros et le zèbre se régalent de l'herbe tendre de la savane. La girafe dévore les hautes branches des acacias.

Le panda ne se nourrit que de feuilles de bambou.

Le lamantin, la « vache des mers », broute les herbes des fonds marins.

LES MANGEURS D'INSECTES

Chacun a ses armes pour attraper les insectes : un long bec, une langue qui colle... Certains tendent même des pièges !

Le caméléon capture les insectes grâce à sa longue langue collante.

Voici un gobe-mouches. Il peut attraper les insectes en vol.

L'araignée tisse une grande toile pour piéger ses proies.

Le fourmilier déniche les termites avec sa langue toute gluante.

LES ANIMAUX DES PAYS CHAUDS

Tous les animaux ci-après vivent dans la savane. Ils viennent se rafraîchir et se désaltérer autour des points d'eau.

Le lion est le « roi des animaux ». Il vit en famille. Pour les repas, c'est la lionne qui chasse, mais c'est toujours le lion qui mange en premier.

La vie dans la savane n'est pas toujours paisible. Au bord de la mare, zèbres et gazelles se désaltèrent, mais gare au crocodile qui guette !

À la saison sèche, quand il ne pleut pas, l'herbe et les points d'eau se font rares, et beaucoup d'animaux parcourent de longues distances pour trouver de la nourriture.

L'éléphant passe beaucoup de temps à faire sa toilette. La girafe, trop grande, a du mal à se baisser pour boire.

L'hippopotame passe sa journée dans l'eau, car sa peau ne supporte pas le soleil. Le rhinocéros a une mauvaise vue et un mauvais caractère.

LES ANIMAUX DU FROID

Tous ces animaux vivent près des pôles, les régions les plus froides de la Terre. Leur fourrure et une épaisse couche de graisse les protègent.

L'ours blanc, qui résiste au froid grâce à ses longs poils, traque le phoque qui sort de l'eau pour respirer. Le renard polaire n'est jamais loin.

L'éléphant de mer au nez bizarre, le morse aux longues défenses et le phoque vivent tous sur la banquise. Leur peau épaisse leur tient chaud.

Peu d'animaux peuvent supporter le froid de l'hiver polaire, qui dure 6 mois. Certains migrent, d'autres hibernent ou se réfugient dans des galeries sous la neige.

Le bœuf musqué gratte la neige pour trouver du lichen. Les lemmings s'abritent sous la glace et les rennes partent pour un long voyage.

Les manchots sont des oiseaux qui ne volent pas, mais qui nagent très bien. Ils adorent faire du toboggan sur la glace.

VIVRE SOUS LA TERRE

Beaucoup d'animaux creusent des galeries sous la terre. Ils remontent de temps en temps à la surface pour chasser ou prendre l'air.

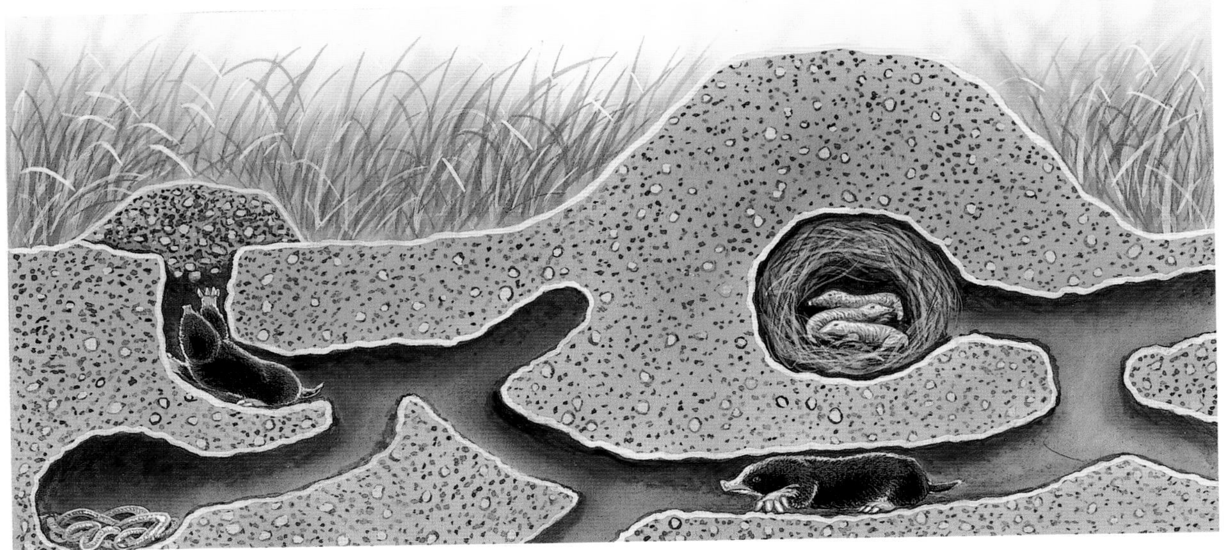

Presque aveugle, la taupe vit sous la terre. Elle y creuse un terrier surmonté d'un petit mont, la taupinière. Elle se nourrit de vers de terre.

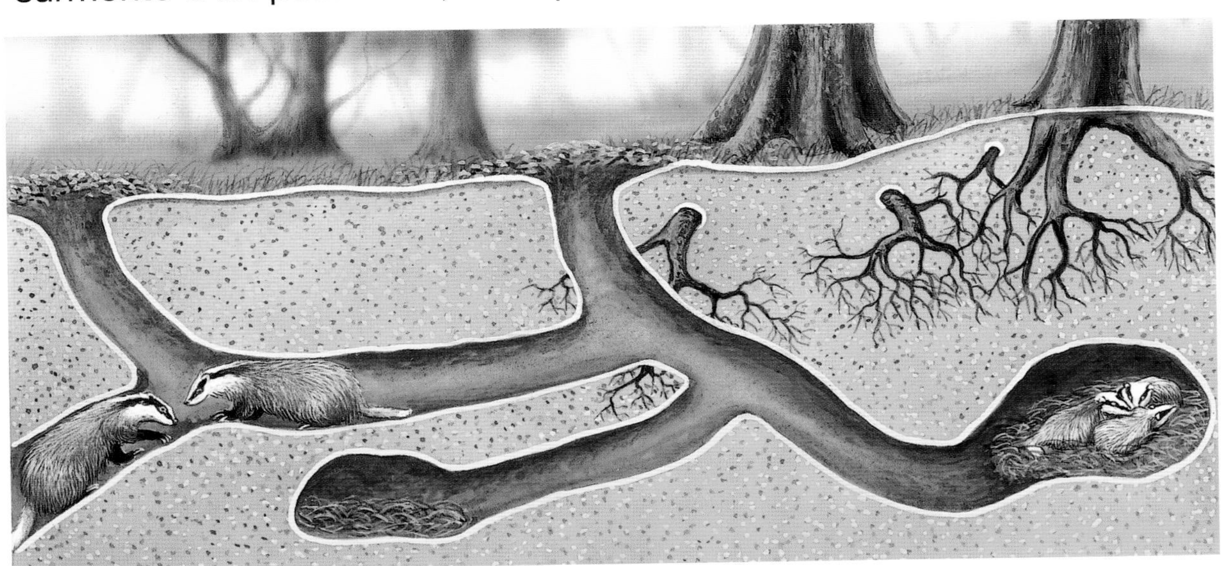

Le blaireau vit dans un terrier qu'il partage avec d'autres blaireaux, et parfois même avec d'autres animaux. Très craintif, il ne sort que la nuit.

Certains terriers ressemblent à de vrais labyrinthes. Les chambres réservées aux mamans qui viennent d'avoir des petits sont souvent situées dans les étages inférieurs, loin de l'entrée.

Les chiens de prairie sont très organisés : ils vivent dans de vrais villages souterrains. Les galeries communiquent entre elles.

Le lapin vit en colonie dans un réseau souterrain de galeries longues et étroites, appelé garenne. Il peut aussi creuser des terriers plus simples.

VIVRE DANS LA MER

Ces animaux vivent tous dans la mer, mais à des niveaux différents. Dans la réalité, ils ne peuvent pas tous se trouver au même endroit.

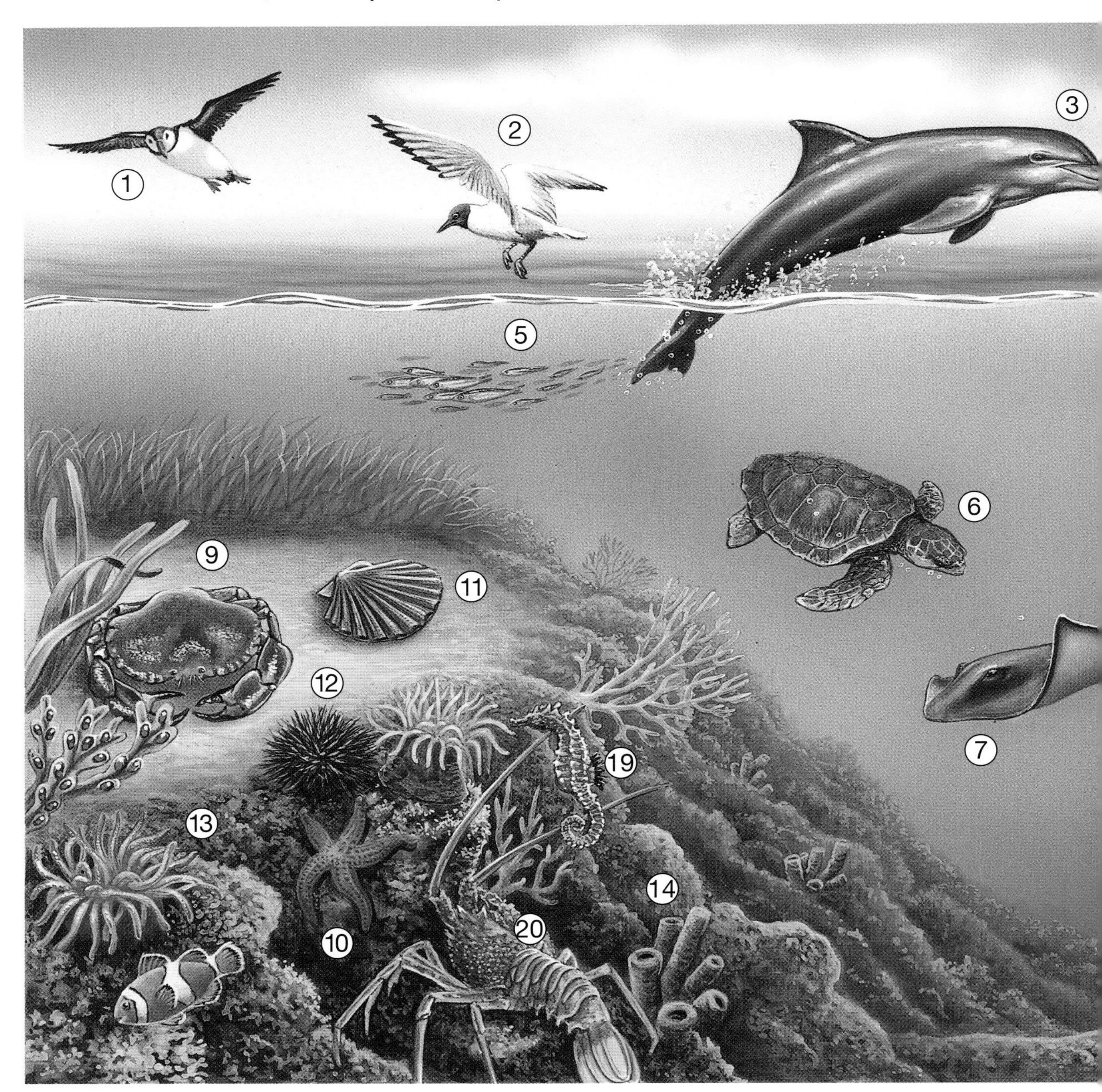

1. Macareux - 2. Mouette - 3. Dauphin - 4. Goéland - 5. Harengs - 6. Tortue marine
7. Raie - 8. Méduse - 9. Crabe - 10. Étoile de mer - 11. Coquille Saint-Jacques

La baleine est l'animal le plus gros du monde. Elle se nourrit d'animaux microscopiques, le krill. Elle en avale des tonnes !

12. Oursin - 13. Anémone de mer - 14. Éponge - 15. Baleine - 16. Pieuvre
17. Cachalot - 18. Thons - 19. Hippocampe - 20. Langouste

LE CASTOR, UN BÂTISSEUR TRÈS MALIN

Le castor construit un barrage pour retenir l'eau de la rivière.
Il pourra ainsi bâtir sa hutte à l'abri des courants.

Le castor ronge le tronc d'arbre avec ses puissantes incisives.

Le barrage est fait de rondins cimentés avec de la boue.

Le castor entre dans la hutte par un couloir caché sous l'eau.
Sa chambre est bien au sec. Il la tapisse d'herbes et de copeaux.

LES FOURMIS N'ARRÊTENT PAS !

Les fourmis s'agitent sans cesse pour trouver de la nourriture.
En hiver, elles s'endorment au fond de la fourmilière.

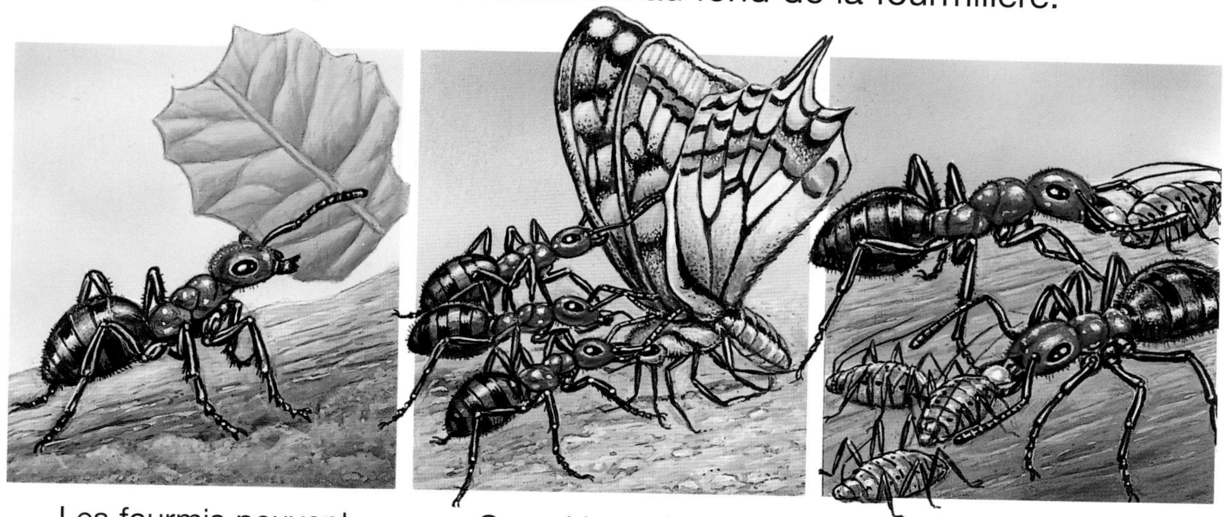

Les fourmis peuvent porter des charges plus grosses qu'elles.

Quand la proie est trop lourde, elles la portent à plusieurs.

Les fourmis élèvent des pucerons pour traire leur miel.

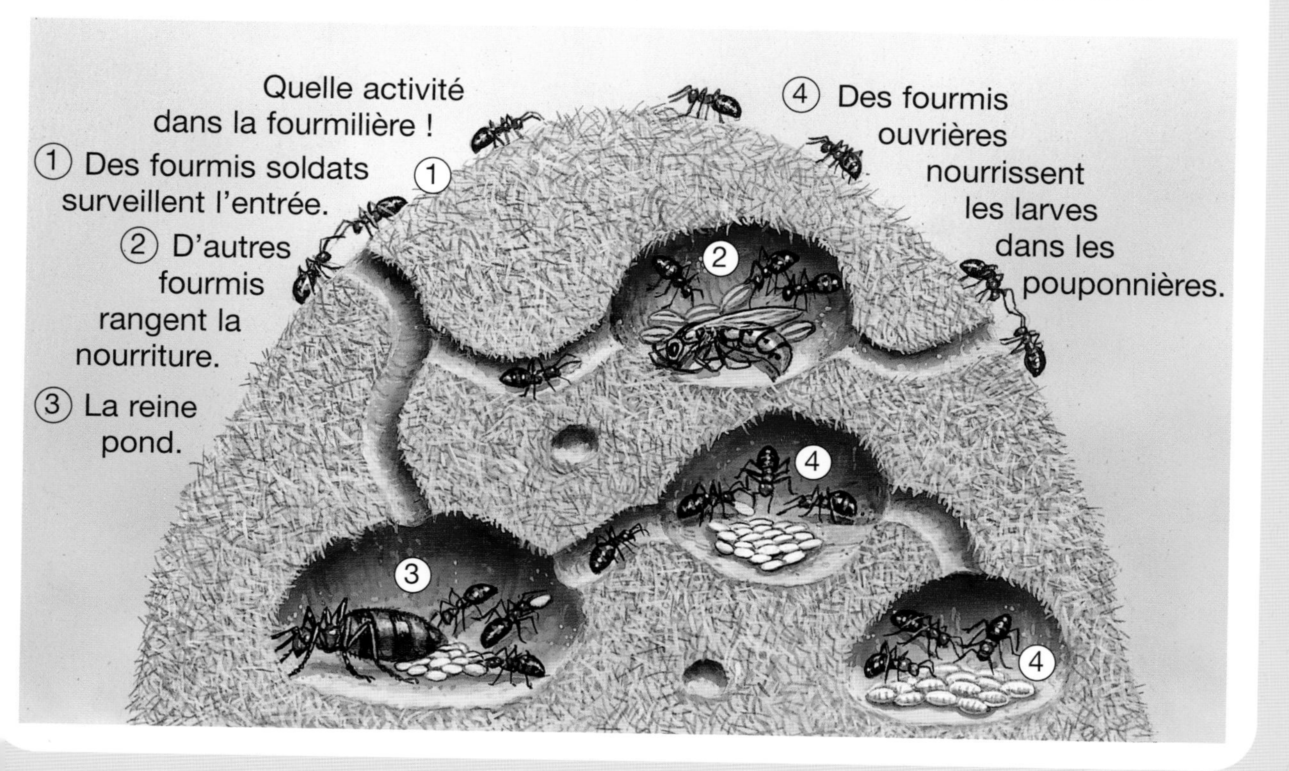

LES ABEILLES AU TRAVAIL

Toutes les abeilles s'activent dans la ruche. Elles passent d'un travail à un autre au fur et à mesure qu'elles grandissent.

La butineuse pompe dans les fleurs un liquide sucré : le nectar.

Elle rapporte à la ruche des boules de pollen, qu'elle tient entre ses pattes.

Dans la ruche, elle transmet à une autre abeille le nectar récolté.

Des abeilles ventileuses agitent leurs ailes très vite pour aérer la ruche.

Les ouvrières sécrètent de la cire pour bâtir les alvéoles.

Dans chaque alvéole, la reine pond un œuf, dont sortira une larve.

LES OISEAUX

Les oiseaux ont des plumes, des ailes et un bec. La plupart d'entre eux volent. Ils se sont adaptés à tous les milieux.

Quelques oiseaux des villes : 1. Pigeon - 2. Étourneau
3. Hirondelle - 4. Moineau

Quelques oiseaux des champs : 1. Grand corbeau - 2. Perdrix
3. Faisan - 4. Corneille - 5. Caille

Les oiseaux chantent dès leur naissance. Chaque espèce a un chant différent. Suivant les espèces, ils se nourrissent d'insectes, de vers, de graines, de fruits, de petits mulots ou de poisson, comme le cygne.

Quelques oiseaux de la forêt : 1. Pic épeiche - 2. Coucou
3. Rouge-gorge - 4. Rossignol - 5. Chouette hulotte - 6. Pivert

Quelques oiseaux des parcs et des jardins : 1. Pie -
2. Cygne - 3. Merle - 4. Mésange

LES ARBRES

LA CROISSANCE DU CHÊNE

Le chêne naît à partir d'un tout petit gland. Adulte, il peut mesurer 40 mètres de haut. Certains chênes vivent jusqu'à 4 000 ans !

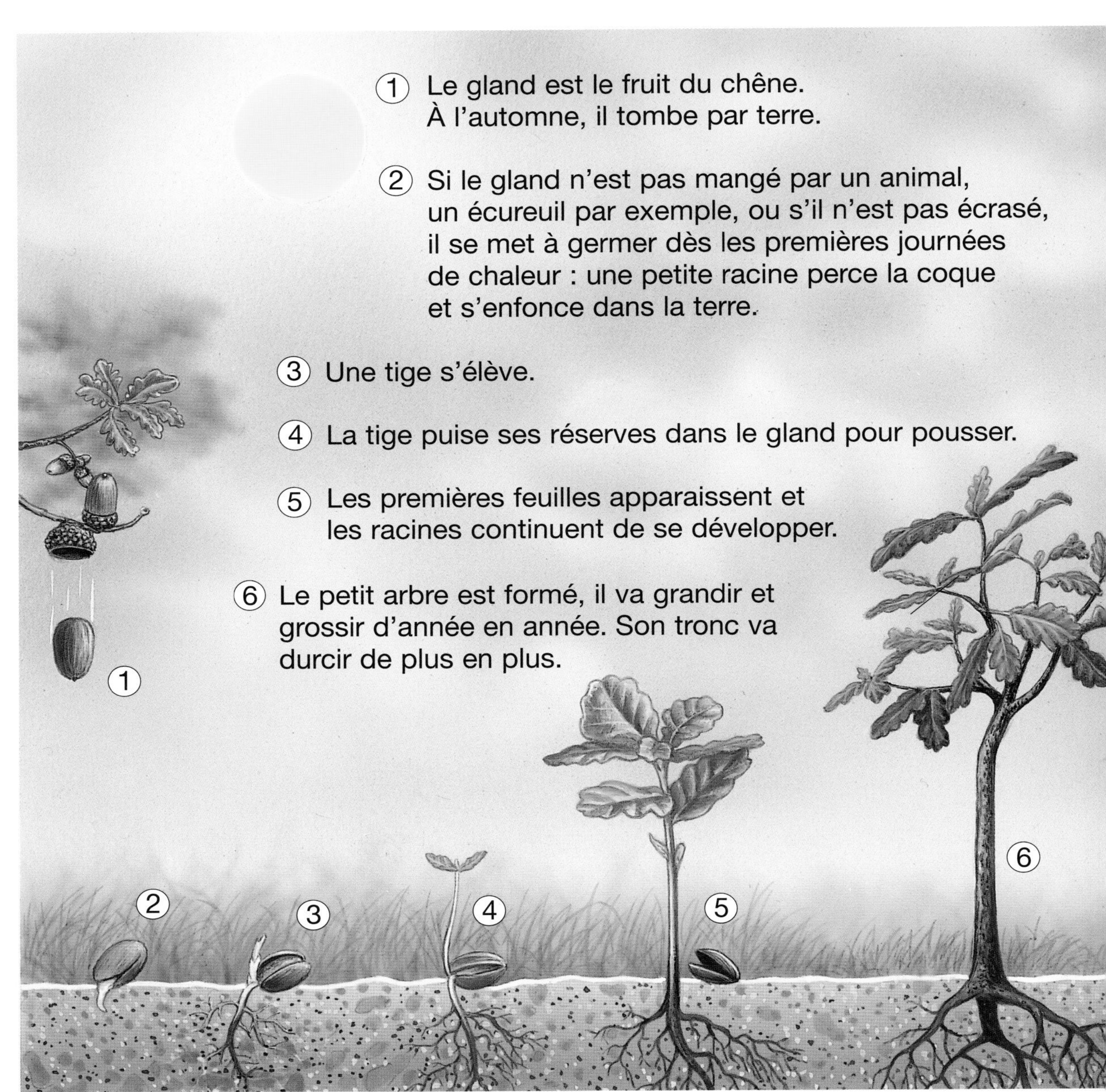

Pour grandir et grossir, l'arbre a besoin de soleil et d'eau, qu'il puise dans le sol grâce à ses racines.

L'écorce protège l'arbre des maladies et des champignons.
Elle se craquelle au fur et à mesure que le tronc grossit.

Tous les glands ne deviennent pas de beaux chênes
comme celui-ci : seulement un sur un million !

L'ARBRE EST VIVANT

Tous les enfants mangent et boivent pour vivre et grandir.
L'arbre aussi : il se nourrit de sève pour devenir grand et fort.

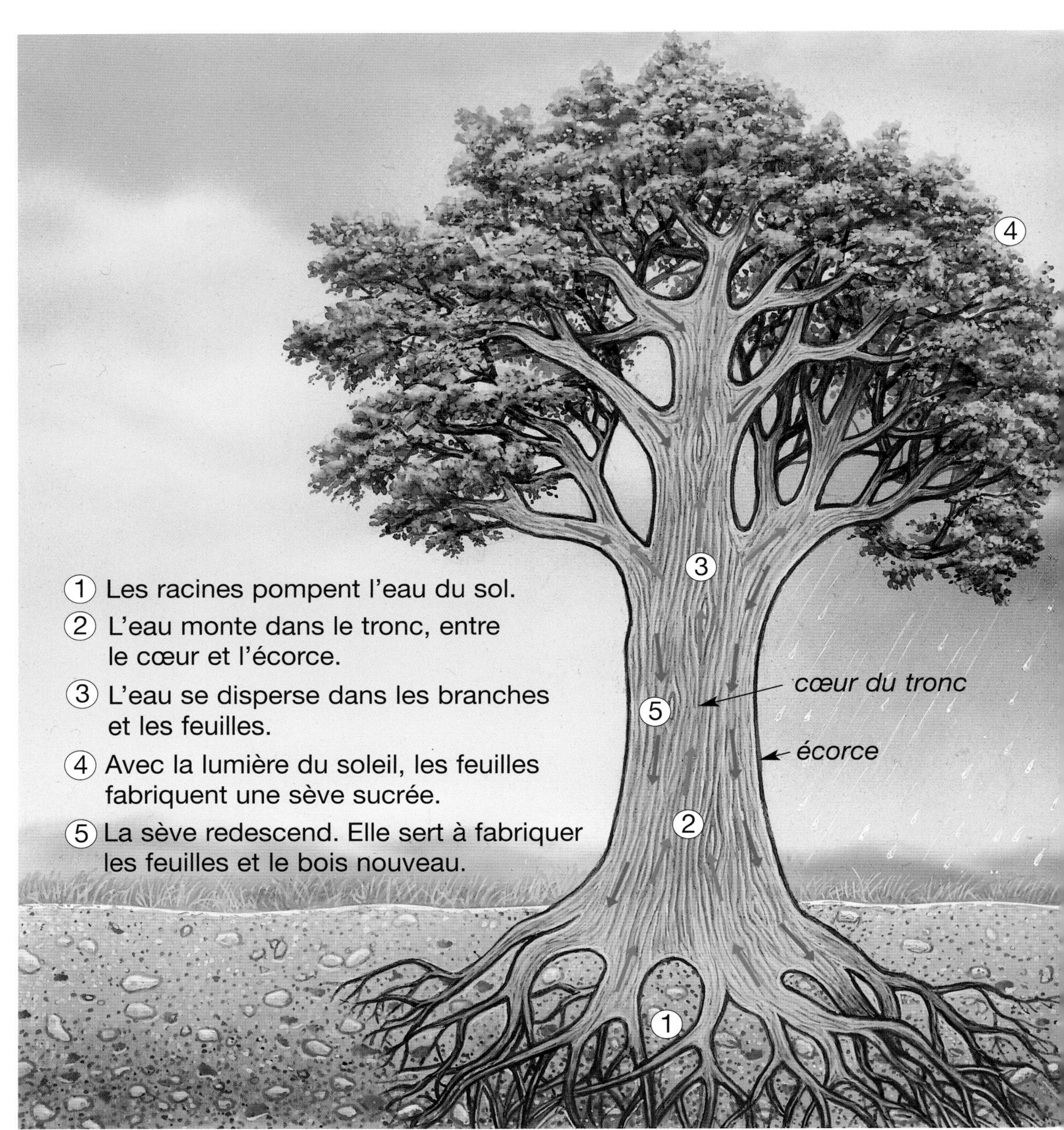

Dans les régions où le vent souffle très fort, comme en bord de mer, les arbres prennent de drôles de formes : ils sont tout courbés ! Mais le tronc est résistant.

L'arbre a besoin d'eau et de soleil pour grandir.

Le bois né au printemps apparaît en cernes clairs, le bois né en été en cernes foncés. Pour connaître l'âge de l'arbre, on compte les cernes foncés.

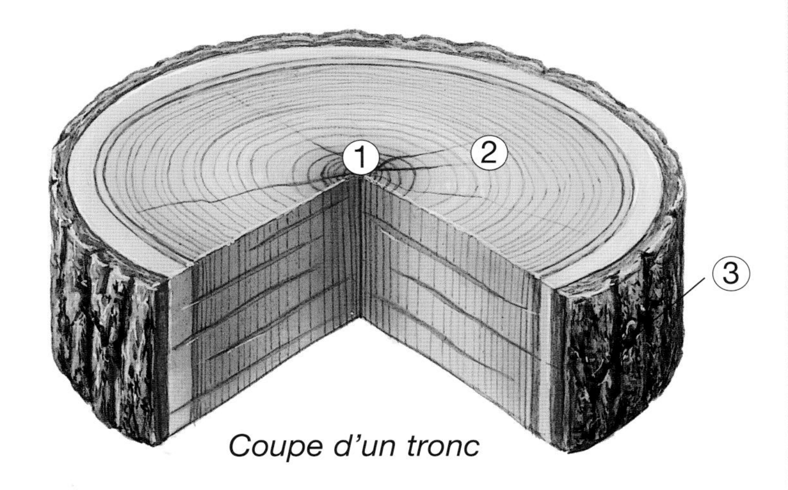

Coupe d'un tronc

① *Cœur* ② *Cernes* ③ *Écorce*

QUATRE SAISONS POUR UN MARRONNIER

Entre le printemps et l'hiver, observe tout ce qui change dans le marronnier... et autour de lui.

Au printemps, feuilles et fleurs sortent des petits bourgeons.

En été, les marrons se forment dans leur enveloppe de piquants.

En automne, feuilles et marrons tombent de l'arbre.

En hiver, le marronnier se repose. Il attend le printemps.

À L'OMBRE OU AU SOLEIL

Tous les êtres vivants ont besoin de la lumière du soleil. Alors, si on prive une partie de l'arbre de cette lumière, que se passe-t-il ?

L'arbre du milieu n'a gardé que ses branches les plus hautes. Les autres deviennent du bois mort, ne produisent plus de feuilles et finissent par tomber.

L'arbre de droite et celui de gauche ont des branches plus développées du côté de la lumière que de l'autre.

CADUQUES OU PERSISTANTES

Les feuilles caduques tombent en automne, mais pas les feuilles (ou aiguilles) persistantes. Sais-tu pourquoi ?

Les feuilles de cet arbre rejettent beaucoup d'eau en transpirant. S'il les gardait en hiver, elles épuiseraient ses réserves.

Les aiguilles de ce sapin sont toutes petites et consomment peu d'eau. Alors l'arbre peut les conserver pendant l'hiver.

Selon les saisons, les feuilles de certains arbres changent de couleur. Au printemps et en été, elles sont vertes, car elles contiennent de la chlorophylle, qui absorbe la lumière du soleil et produit de l'oxygène.

En automne, il y a moins de lumière, donc moins de chlorophylle. L'arbre ne peut plus nourrir ses feuilles, qui deviennent jaunes, puis tombent.

En automne, les feuilles des arbres revêtent souvent des couleurs splendides : jaune, orangé, rouge. Ces couleurs sont dues à des pigments qui réapparaissent quand la chlorophylle disparaît. Au Canada, on appelle cette période l'été indien.

LES FEUILLUS

On appelle « feuillus » les arbres qui portent des feuilles, par opposition aux conifères, comme les sapins, qui ont des épines.

Le chêne est majestueux. Il abrite de nombreux animaux dans son feuillage dense.

Voici le marronnier. Ses fruits, les marrons, poussent dans une enveloppe très piquante, la bogue. Ils en sortent en automne.

Il existe de très nombreuses espèces de feuillus, de tailles et de formes variées.

Comme les marrons, les châtaignes se développent dans une bogue épineuse.

Le châtaignier, qui peut vivre jusqu'à 500 ans, donne des châtaignes. Ramassées à l'automne, elles se dégustent grillées.

Le hêtre donne des faines tous les 2 ou 3 ans. Elles poussent deux par deux dans une enveloppe piquante.

Voici le hêtre. Quelques animaux de la forêt mangent son fruit : la faine. Cet arbre peut vivre jusqu'à 400 ans.

Les platanes poussent souvent en ville. Ils procurent une ombre rafraîchissante très agréable en été, lorsqu'il fait trop chaud.

Les feuilles du bouleau sont lisses, sans poils, et ont les bords dentelés.

Le bouleau vit 150 ans environ. Il est revêtu d'une écorce blanche, qui part en lambeaux. Ses graines se développent dans le chaton.

La feuille du platane a 5 lobes. Ses fruits ont la forme de petites boules.

Le platane pousse en Europe et en Amérique du Nord. Il libère beaucoup de pollen au printemps. Son écorce se détache par plaques.

Le peuplier borde très souvent les routes de campagne, tandis que le saule pleureur se rencontre dans les parcs, près des étangs.

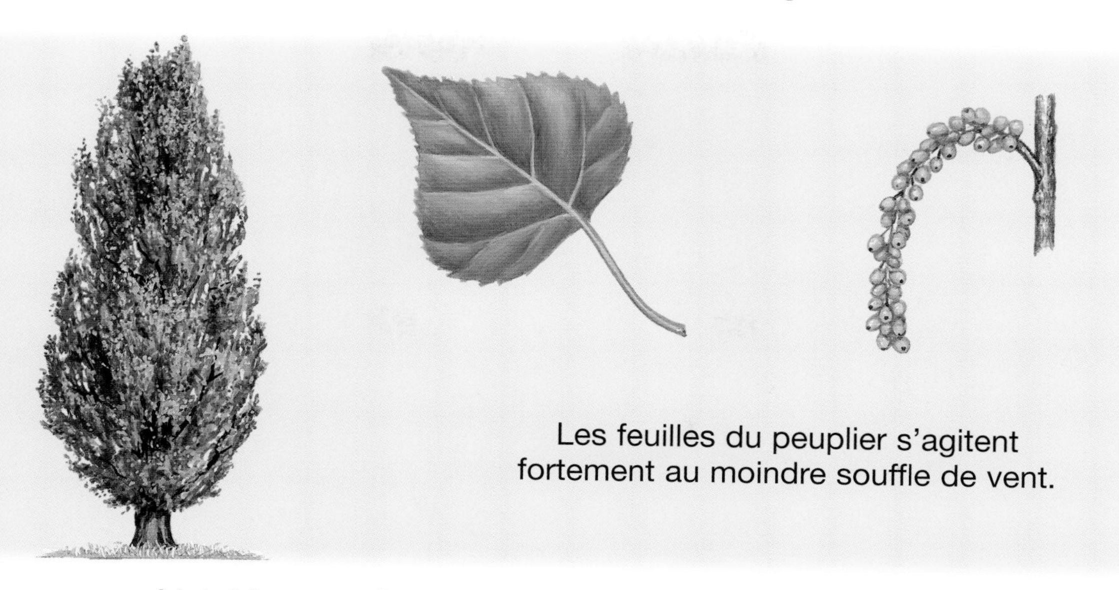

Les feuilles du peuplier s'agitent fortement au moindre souffle de vent.

Voici le peuplier. Il ne vit guère plus de 80 ans. On se sert de son bois pour fabriquer des allumettes.

Les longs rameaux du saule pleureur pendent parfois tellement qu'ils peuvent toucher le sol.

Le saule pleureur se trouve souvent près des cours d'eau, car il aime bien l'humidité. Par rapport aux autres feuillus, il pousse lentement.

DU BOURGEON À LA MERISE (CERISE SAUVAGE)

Pendant l'hiver, les petits bourgeons vivent au ralenti. Mais dès le début du printemps ils nous préparent une belle surprise !

③ Le bourgeon libère une fleur, qui n'est encore qu'un bouton protégé par des sépales.

④ Une belle fleur blanche ouvre ses pétales.

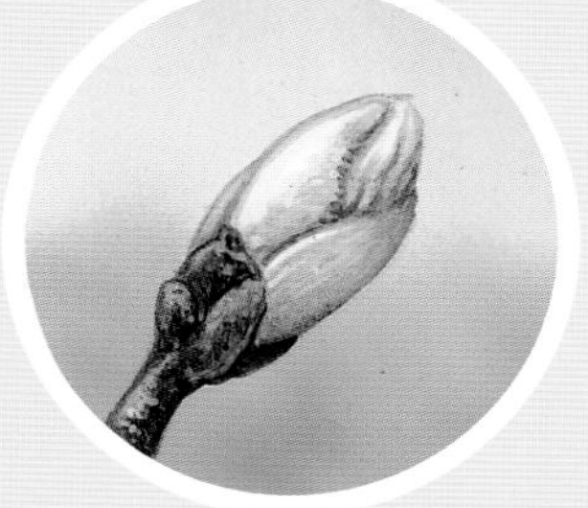

② Au printemps, la sève remonte dans l'arbre jusqu'aux bourgeons. Les écailles s'ouvrent peu à peu.

⑤ Puis la fleur se fane et les pétales tombent. Une merise verte apparaît peu à peu.

① Les bourgeons possèdent une armure efficace contre la pluie et le gel : les écailles.

⑥ La merise rougit grâce aux rayons du soleil. Si elle n'est pas cueillie, elle va pourrir, tomber, et peut-être que son noyau germera dans le sol.

LES ARBRES FRUITIERS

Les fruits dont tu te régales en jus, sur les gâteaux ou simplement en les croquant poussent sur des arbres, sauvages ou cultivés.

L'oranger, qui donne les oranges, est cultivé dans les pays chauds.

Le citronnier a des branches épineuses.

Différents pruniers donnent des prunes, mirabelles ou quetsches.

Le pommier est très répandu dans les régions tempérées.

Les fruits sont riches en sucre, vitamines et sels minéraux, très bons pour la santé. C'est dans les fruits que les graines, qui assurent la reproduction des arbres, se développent.

Le fruit du poirier est la poire. Il en existe de nombreuses variétés.

Le fruit du noyer, la noix, est protégé par une coque dure.

Le figuier est un arbre des pays chauds. Il produit des figues.

Le noisetier donne des noisettes, dont raffolent les écureuils.

LES CONIFÈRES

Ces arbres ont des feuilles en forme d'aiguilles, qui ne tombent généralement pas en automne.

Les aiguilles du sapin sont plates. Ses cônes regardent vers le ciel.

Voici le sapin. Il reste vert toute l'année. Il peut vivre jusqu'à 800 ans.

Le cône de l'épicéa est allongé. Il penche vers le bas. Ses écailles ne sont pas très dures et sont légèrement écartées.

L'épicéa pousse en montagne. Il ressemble au sapin. C'est lui qu'on utilise comme arbre de Noël.

Les fruits des conifères s'appellent les cônes.
Certains sont grands et allongés, d'autres tout petits.
Leurs écailles sont écartées ou resserrées.

Les aiguilles du pin sont attachées deux par deux sur les rameaux. Son fruit est la fameuse pomme de pin.

Le pin peut atteindre 50 mètres de haut.
Il peut vivre jusqu'à 600 ans.

Les aiguilles du mélèze, disposées en petits bouquets, jaunissent en automne puis tombent.

Le mélèze est un conifère qui perd ses aiguilles en automne.
Très résistant au froid, il supporte bien la vie en montagne.

LES PALMIERS

Il existe plusieurs milliers d'espèces de palmiers dans le monde.
Ces arbres poussent généralement dans les pays chauds.

Le palmier dattier
donne des dattes.

Les noix de coco
poussent sur le cocotier.

Pressé, le fruit de
ce palmier donne de l'huile.

Cet arbre produit une graine
qui ressemble à de l'ivoire.

DES ARBRES ÉTONNANTS

Voici des arbres pas comme les autres. Ils surprennent par leur taille, leur forme ou leurs racines.

Ce séquoia géant mesure plus de 100 mètres de haut.

Le palétuvier des forêts tropicales pousse les pieds dans l'eau !

Le banian indien possède des racines aériennes.

On ne sait pas toujours ce qui donne à certains arbres ces formes étranges : le vent, la composition chimique du sol, les tremblements de terre peuvent en être à l'origine.

Cet arbre qui ressemble à un hérisson pousse dans le désert.

On trouve cet arbre en forme de pieuvre à Madagascar.

Dans une forêt près de Reims, en France, il pousse des arbres à la silhouette presque inquiétante : leurs troncs sont complètement tordus !

LA FORÊT EN DANGER

Un peu partout sur la Terre, les forêts sont menacées par la pollution, les incendies, le déboisement...

En Amazonie comme dans d'autres forêts du monde, les hommes abattent les arbres pour cultiver la terre ou construire des routes.

Au Sahara, les hommes coupent les arbres car ils ont besoin de bois pour leur vie quotidienne. Les animaux les grignotent. Le désert avance.

La destruction des arbres peut avoir de lourdes conséquences sur les sols, qui s'usent, sur les espèces animales ou végétales, qui peuvent venir à disparaître, et sur les climats, qui se modifient.

Les cheminées d'usine et les pots d'échappement des voitures rejettent dans l'atmosphère des produits chimiques et des gaz toxiques qui montent dans le ciel, se mélangent aux nuages et retombent sur les forêts en pluies acides.

Par temps sec, les incendies de forêt se propagent très vite.

Il faudra des années pour que les arbres repoussent.

À QUOI SERVENT LES ARBRES ?

Les arbres produisent de l'oxygène, qui est indispensable aux hommes et aux animaux. On utilise aussi leur bois pour fabriquer des meubles.

L'eau s'évapore des feuilles et monte pour former des nuages.

De nombreux animaux vivent à l'abri dans la forêt.

Les arbres protègent les maisons du vent qui vient de la mer.

Les racines absorbent beaucoup d'eau et protègent des inondations.

TABLEAU D'HIVER

Voici un joli tableau à réaliser avec des feuilles mortes, que tu pourras accrocher dans ta chambre ou offrir.

***Matériel** : une grande feuille de couleur bleue, du papier à dessin, des feuilles mortes de différentes formes, de la peinture blanche, de la colle.*

Découpe une silhouette de montagnes dans le papier à dessin blanc et colle-la sur la grande feuille bleue. Le paysage est prêt à être décoré.

Dans les feuilles mortes, découpe des formes d'arbres ou d'animaux. Tu peux t'amuser à faire un oiseau, par exemple.

Colle un à un avec précaution les découpages de feuilles sur le paysage. Ensuite, avec un pinceau et un peu de peinture blanche, dessine par petites touches des flocons de neige dans le ciel et sur les arbres. Le tableau est terminé !

UNE COURONNE DE FEUILLES

Avec des feuilles, tu peux facilement confectionner une couronne amusante lors d'une promenade en forêt.

1. Cueille des feuilles de lierre.

2. Ramasse quelques fines brindilles de bois mort.

3. Coupe la tige en plaçant ton pouce bien au bord de la feuille pour ne pas la déchirer.

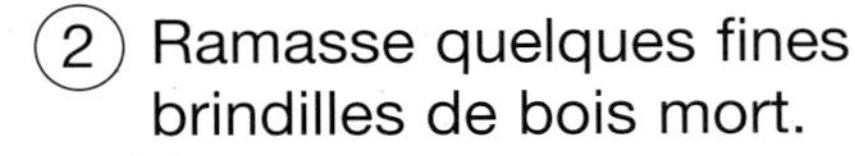

4. Coupe quelques petits morceaux de brindilles de la même taille.

5. Superpose deux feuilles comme ci-dessus.

6. Attache-les ensemble à l'aide d'un petit bout de brindille, comme sur le dessin.

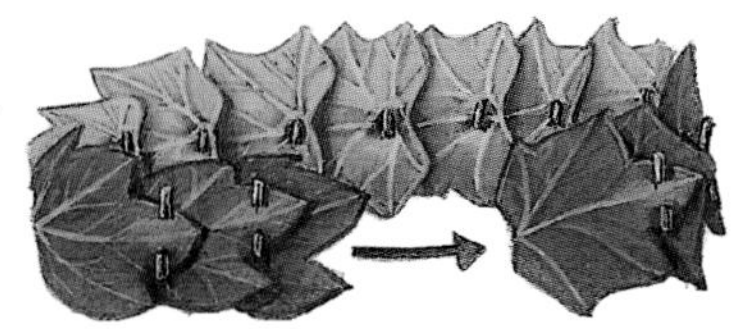

7. Continue de la même façon avec les autres feuilles.

8. Accroche ensemble les feuilles à chaque extrémité et tu obtiendras une jolie couronne.

LES PLANTES
LES FLEURS

COMMENT EST FAITE UNE FLEUR ?

Corolle, calice : ces jolis mots, avec bien d'autres, servent à décrire les fleurs. Découvre-les dans cette page.

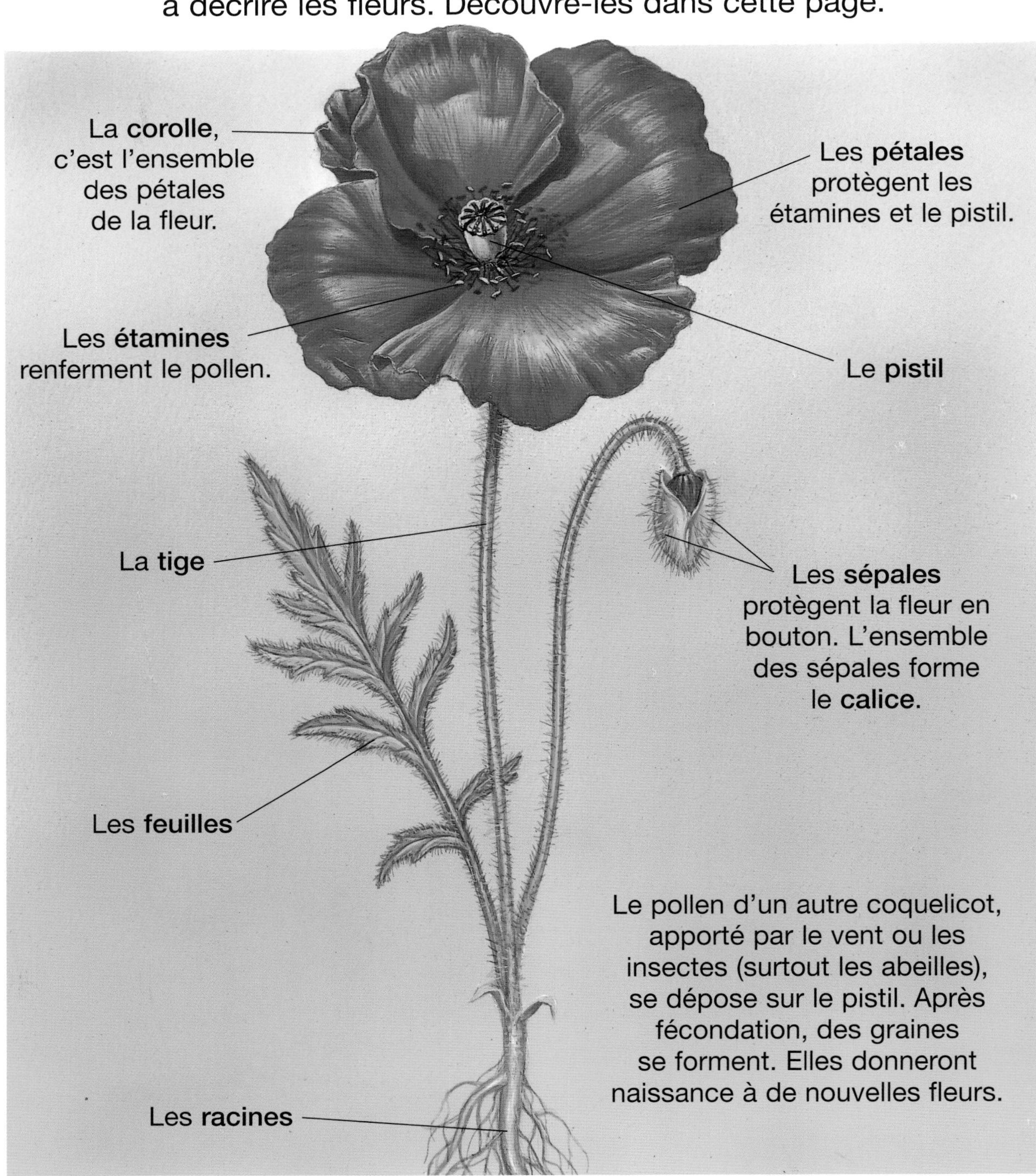

HISTOIRE DE LA FLEUR DE PISSENLIT

La grande fleur de pissenlit est faite de centaines de petites fleurs bien serrées. Chacune va donner naissance à une graine.

La fleur de pissenlit s'épanouit au printemps.

Les sépales enveloppent peu à peu la fleur.

Bien à l'abri, les graines se forment à la base de la feuille.

De chaque graine part une tige surmontée d'une aigrette.

Les aigrettes sèchent au soleil avant de s'ouvrir. Elles forment alors une belle boule blanche sur laquelle on peut s'amuser à souffler !

Les aigrettes s'ouvrent. Ainsi, chaque graine a son parachute. Les graines s'envolent, emportées par le vent. Elles tombent sur le sol.

Certaines d'entre elles vont germer.

Un nouveau pissenlit commence à pousser.

La plante grandit et tout recommence.

LA VIE D'UNE FLEUR

Chaque fleur vit à son rythme. À des heures bien précises, elle déplie ses pétales, diffuse son parfum puis se referme.

La pâquerette ouvre ses pétales le jour pour capter la lumière solaire.

La fleur de liseron des champs déploie ses pétales à 8 h.

La fleur de nénuphar, elle, s'ouvre à 7 h du matin.

La nuit, elle respire au ralenti, ses pétales sont repliés.

Puis elle les ferme en début d'après-midi, vers 14 h.

Et à 16 h, elle se referme pour une longue nuit !

LES PLANTES ONT DES RÉSERVES

Pour germer puis grandir, les plantes puisent dans leurs réserves souterraines : racines, rhizomes, oignons ou tubercules.

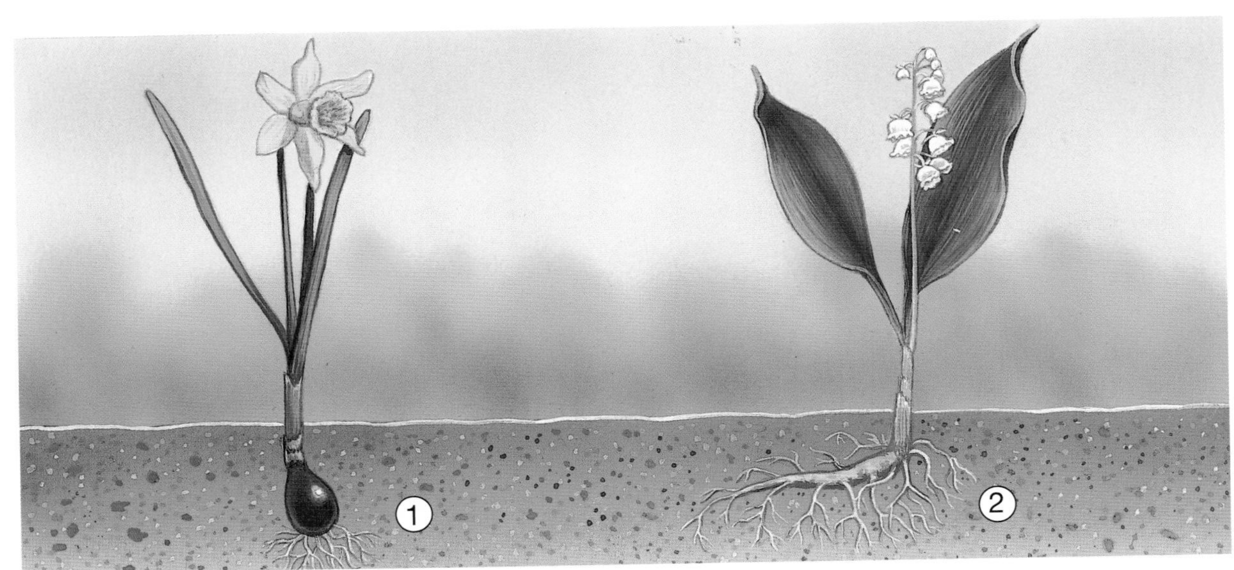

L'oignon ① produit une fleur tous les ans.

Le rhizome ② s'allonge et donne chaque année de nouvelles fleurs.

Les racines du dahlia forment de gros tubercules ③.

La grosse racine du pissenlit est appelée « racine pivotante » ④.

LES FLEURS DES BOIS

Elles sortent à la toute fin de l'hiver ou au début du printemps.
Connais-tu celle qui porte bonheur ?

LES FLEURS DES CHAMPS ET DES PRÉS

Elles apparaissent au printemps et en été. Le coquelicot se rencontre souvent au bord des champs de blé.

Toutes ces plantes sont vivaces : elles peuvent vivre plusieurs années.
À la fin de l'été elles s'endorment, et refleurissent au printemps.

LES FLEURS DES ÉTANGS

Les nénuphars recouvrent parfois la surface des étangs.
Iris, joncs et massettes fleurissent plutôt près des rives.

LES FLEURS DES HAIES

Champs et jardins sont parfois entourés de haies touffues qui les protègent du vent. Les fleurs s'y épanouissent au printemps.

Les fleurs de liseron, en forme de trompettes, se mêlent aux fleurs de chèvrefeuille jaunâtres et très odorantes.

Attention, toutes ces fleurs poussent en formant des buissons aux branches épineuses. Le mûrier donne de délicieux fruits, les mûres.

LES FLEURS DES MONTAGNES

Après la fonte des neiges, certaines fleurs parviennent à pousser en altitude. Elles s'adaptent à des conditions difficiles : froid, vent...

LES FLEURS DU DÉSERT

Ces plantes se sont adaptées à la vie dans les déserts et peuvent résister à de longues périodes de sécheresse.

Les cactus sont des plantes épineuses. Dans leur énorme tige, ils gardent l'eau qui tombe à la saison des pluies.

Cette plante ressemblant un peu à un pneu éclaté s'appelle la welwitschia. Elle pousse dans les déserts africains.

Le lithops passe presque inaperçu parmi les cailloux. Comme ça, il se protège des animaux qui veulent le manger.

À la saison sèche, le lithops fleurit et une belle fleur jaune apparaît. On dirait un caillou en fleur.

LES FLEURS DU JARDIN

Des milliers d'espèces de fleurs poussent sur Terre.
Les hommes en cultivent certaines pour décorer leurs jardins.

1. des roses
2. des capucines
3. des iris
4. des narcisses
5. des œillets
6. des pensées
7. de la lavande
8. des lupins
9. des pétunias
10. des hortensias
11. des anémones
12. des géraniums
13. des dahlias
14. des glaïeuls
15. des clématites
16. des rhododendrons
17. des tulipes
18. des jonquilles

Toutes les fleurs représentées ici ne poussent pas en même temps. Les tulipes, les rhododendrons et les jonquilles sont des fleurs de printemps. Les pensées résistent au froid de l'hiver. Les autres fleurs poussent en été.

LES FLEURS DES DUNES

Elles sont belles, mais évite de les cueillir, car elles retiennent les grains de sable qui forment la dune. Sinon, la dune disparaîtra.

Ces plantes doivent s'adapter à un milieu hostile : elles doivent résister au vent, à la sécheresse, au sel de mer apporté par les embruns...

Les fleurs de l'immortelle ne se fanent pas. L'oyat, avec ses tiges à rallonge, empêche le sable de bouger et fixe les dunes.

LES ALGUES

On trouve dans la mer des plantes sans racines que l'on appelle des algues. Elles servent de nourriture à de nombreux poissons.

Dans la mer Méditerranée, on trouve la caulerpe, une algue très envahissante qui ressemble à de l'herbe.

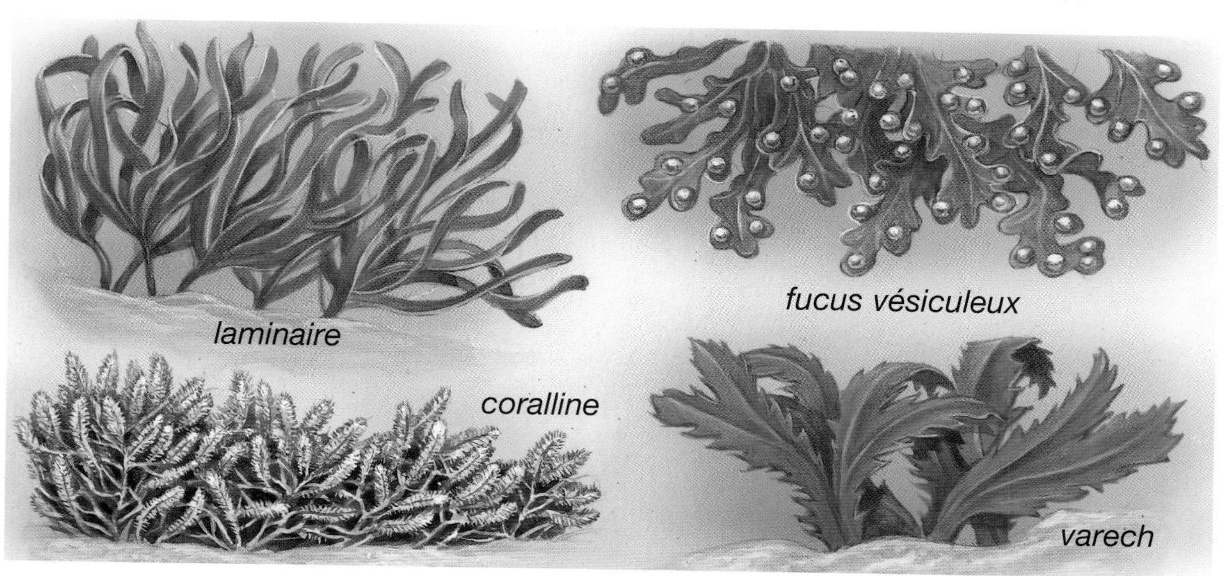

Il existe des algues de toutes les formes. Elles ne poussent pas à de grandes profondeurs. Elles ont besoin de lumière. En voici quelques-unes.

LES PLANTES CARNIVORES

Ces plantes vivent sur des sols très pauvres en nourriture, elles préfèrent donc attraper des insectes pour se nourrir.

La dionée est une plante insectivore. Elle se nourrit d'insectes. Ses feuilles se terminent par des épines.

Quand une abeille se pose sur la feuille, les épines s'entrelacent pour la garder prisonnière.

La dionée va lentement digérer l'insecte.

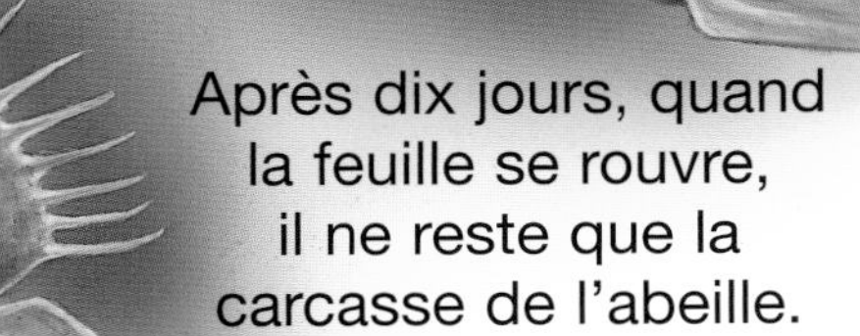

3

Après dix jours, quand la feuille se rouvre, il ne reste que la carcasse de l'abeille.

Les perles brillantes sont de la colle destinée à attraper les insectes.

Les insectes tombent au fond de ces feuilles en forme de vase.

LES PLANTES PARASITES

Les plantes parasites vivent aux dépens d'un arbre. Le lierre le prive d'air et l'étouffe. Le gui lui prend sa nourriture et l'épuise.

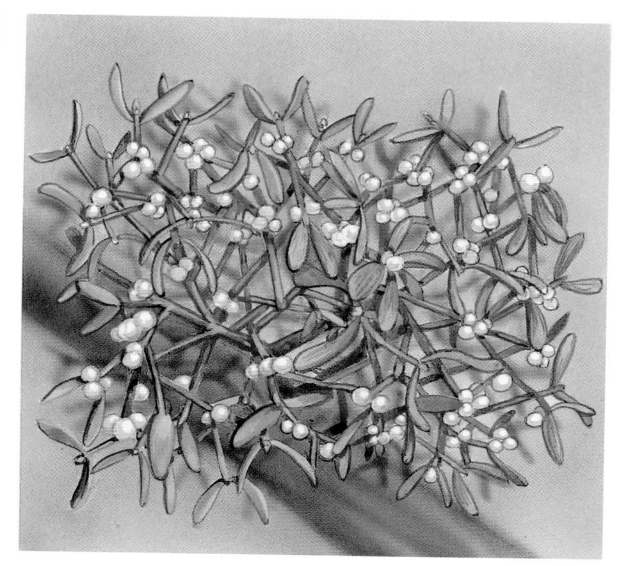

Grâce à un petit suçoir, le gui absorbe la sève des arbres.

À l'aide de solides crampons, le lierre s'agrippe à l'écorce.

Mousses et lichens poussent sur des écorces ou des rochers. Le lichen se développe mieux là où l'air est pur. Les mousses aiment l'humidité.

LES CHAMPIGNONS COMESTIBLES

Malgré son nom, la trompette-de-la-mort est un « bon » champignon que l'on peut manger, comme les cinq autres dessinés sur cette page.

LES CHAMPIGNONS VÉNÉNEUX

Ces champignons contiennent des poisons très dangereux.
Il ne faut surtout pas les ramasser, ni même les toucher.

bolets Satan

amanites tue-mouches

amanites phalloïdes

amanites printanières

cytoclibes de l'olivier

lactaires à toison

NAISSANCE D'UNE TULIPE

Au début de l'automne, achète un oignon de tulipe et suis les conseils donnés ci-dessous. Cet hiver, tu auras une jolie fleur.

Remplis un vase d'eau, jusqu'au bord.

Pose l'oignon sur le vase, la partie plate en bas.

Recouvre le vase avec un grand carton.

Trois semaines plus tard, des racines apparaissent.

Installe le vase près d'une fenêtre.

Encore trois semaines, et la tulipe fleurira !

UN HERBIER POUR CONSERVER LES FLEURS

Quand tu auras constitué ton herbier, demande à un grand d'écrire le nom de chaque fleur, le lieu et la date de la cueillette.

Choisis une fleur que tu as le droit de cueillir, comme un joli coquelicot.

Pose-la entre deux feuilles de papier journal ou d'un magazine.

Empile deux dictionnaires sur le magazine pendant huit jours.

Prends délicatement la fleur séchée, scotche-la dans un cahier.

UNE GUIRLANDE DE PÂQUERETTES

Amuse-toi à confectionner de belles guirlandes ou de jolis bijoux avec des pâquerettes. Tu vas voir, c'est très simple !

① Cueille plusieurs pâquerettes.

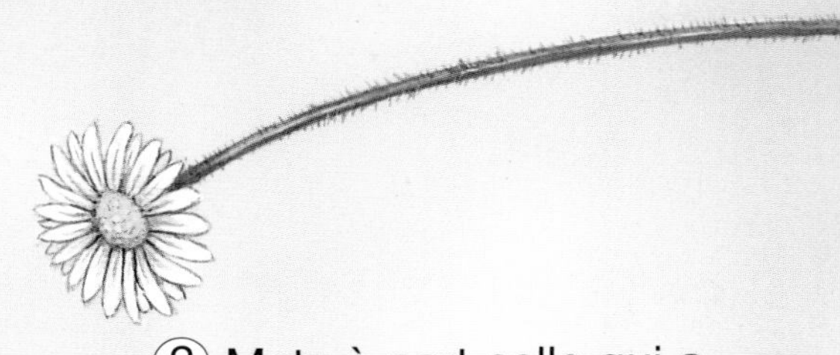

② Mets à part celle qui a la plus longue tige.

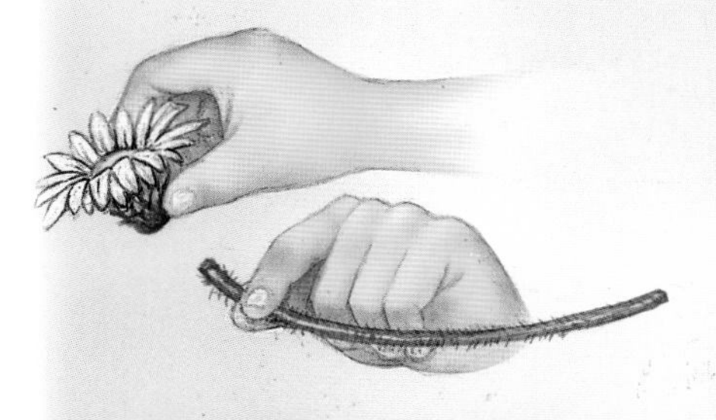

③ Retire la tige des autres pâquerettes au niveau du calice (tu vois un petit trou au milieu).

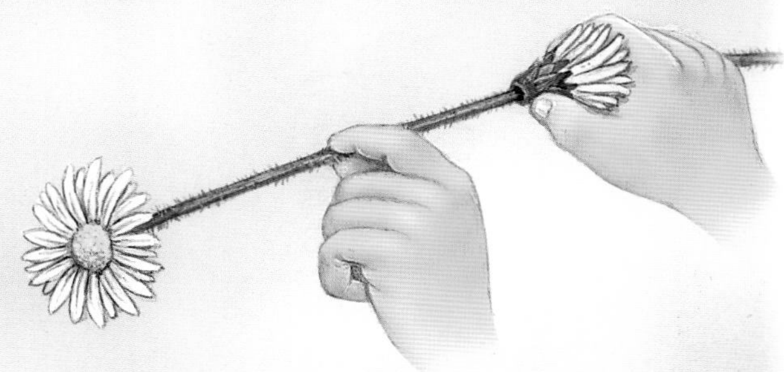

④ Enfile le bout de la pâquerette comme une perle sur la pâquerette à longue tige.

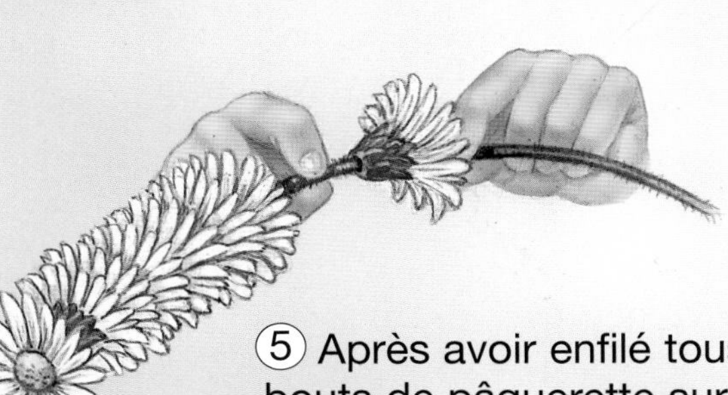

⑤ Après avoir enfilé tous les bouts de pâquerette sur la tige, tu obtiens une jolie guirlande. En rejoignant les deux bouts, tu peux en faire un bracelet.

LE TEMPS

DE LA GOUTTE AU NUAGE

Regarde ce paysage : les flèches t'indiquent d'où vient l'eau qui monte vers le ciel sous forme de vapeur invisible.

FABRIQUE DES NUAGES !

Tu peux réaliser cette expérience avec l'aide d'une grande personne. Il te faut une assiette, un récipient en verre et des glaçons.

Demande à un adulte de faire bouillir de l'eau dans une casserole, et de verser l'eau bouillante dans un récipient en verre épais.

Mets quelques glaçons dans une assiette.

Pose l'assiette sur le récipient d'eau chaude.

L'eau chaude dégage de la vapeur qui, au contact du froid de l'assiette, va se transformer en nuage. Regarde-le dans le noir avec une lampe.

ROSÉE D'ÉTÉ - GIVRE D'HIVER

Le matin nous réserve parfois de belles surprises : herbes et feuilles sont parsemées de fines gouttelettes ou recouvertes d'un voile blanc.

LA ROSÉE

Le jour, de minuscules gouttes d'eau flottent dans l'air. La nuit, l'air se refroidit et laisse tomber ces gouttes sur le sol : c'est la rosée du matin.

LE GIVRE

En hiver, quand il fait froid, la rosée peut geler : elle se transforme alors en givre. La campagne devient toute blanche.

LES CAPRICES DE LA MÉTÉO

Neige, grêle, pluie ou brouillard : selon la température de l'air, les gouttes d'eau prennent différentes formes !

À l'intérieur du nuage, les gouttes se collent les unes aux autres. Elles deviennent si lourdes qu'elles tombent sous forme de pluie.

En hiver ou lors de violents orages d'été, les gouttes gèlent. Elles peuvent se transformer en grêlons, qui font parfois de gros dégâts.

La neige tombe lorsque la température au sol avoisine les 0 °C.
Le brouillard se forme souvent au petit matin puis s'estompe.

C'est l'hiver. Quand la température est à 0 °C environ, la pluie se transforme en neige. Les gouttes d'eau gelées deviennent des flocons.

L'air chaud et léger était surchargé de gouttelettes d'eau. Avec le froid de la nuit, elles ont grossi pour former un nuage bas, le brouillard.

AVANT ET APRÈS L'ORAGE

L'orage est un phénomène électrique très puissant. L'éclair est une forte lumière blanche qui descend en zigzag sur la Terre.

Il fait très chaud. De gros nuages noirs s'amoncellent dans le ciel, le vent se lève : un orage se prépare.

L'éclair jaillit et on entend le tonnerre. La foudre est très dangereuse : elle peut faire éclater un arbre en morceaux.

Parfois, il pleut tellement lors d'un orage que les égouts ne peuvent absorber toute cette eau : les rues sont inondées.

Sur les pentes, l'énorme quantité d'eau peut entraîner la terre et provoquer des glissements de terrain.

DE LA BRISE À L'OURAGAN

Le vent peut souffler doucement ou très violemment. C'est pourquoi on lui donne plein de noms différents.

La brise est un vent léger. Les brins d'herbe et les feuilles des arbres se balancent. La mer est paisible.

Pendant une tempête, le vent souffle très fort. Regarde l'herbe, les arbres et le bateau soulevé par les vagues.

L'ouragan déracine les arbres, soulève les toits. Il projette d'énormes vagues sur la terre : c'est le raz de marée.

Attention à la tornade ! C'est un tourbillon de vent violent qui avance très vite et arrache tout sur son passage.

HISTOIRES DE NUAGES

Tu as sûrement déjà observé la forme des nuages dans le ciel.
Sais-tu que chacun d'eux porte un nom ?

Le cirrostratus annonce le mauvais temps.

Le cumulonimbus apporte la pluie et annonce l'orage.

Le cumulus est un nuage de beau temps.

L'altocumulus est formé de petits nuages.

JEUX DE LUMIÈRE

La lumière du soleil t'apparaît blanche, mais elle est en fait composée de plusieurs couleurs qui teintent parfois le ciel.

Un rayon de soleil sur un rideau de pluie donne un bel arc-en-ciel.

Quand il y a beaucoup de nuages, on peut parfois voir deux soleils.

En mer, le soleil couchant disparaît parfois dans un flash vert.

Aux pôles, le ciel nocturne se pare de merveilleuses couleurs.

LES QUATRE SAISONS

Dans les pays à climat tempéré, il y a quatre saisons différentes : l'hiver, le printemps, l'été et l'automne.

L'hiver, il fait plus froid. Les jours sont courts et parfois, il neige.

Au printemps, la température est douce et les arbres bourgeonnent.

En été, il fait très chaud. Les blés sont mûrs et il y a des orages.

En automne, il pleut souvent ; le vent emporte les feuilles des arbres.

LES SAISONS

Dans les pays chauds, il y a deux saisons ou une seule, mais les températures sont toujours très élevées.

Dans la savane, il y a deux saisons : une saison humide avec de fortes pluies, et une saison sèche où il ne pleut pas.

Dans les régions équatoriales, il n’y a qu’un seul type de climat : chaud et humide toute l’année. Il pleut quasiment tous les jours, mais jamais très longtemps. La végétation est abondante car les plantes poussent très bien et très vite.

L'ÉTÉ À DIFFÉRENTS ENDROITS

L'été n'est pas le même partout. À l'intérieur des terres, il fait souvent très chaud, à la mer ou à la montagne, il fait généralement plus frais.

En bord de mer, une légère brise vient rafraîchir les côtes.

En montagne, plus on grimpe, plus l'air est frais.

À l'intérieur des terres, il fait souvent plus chaud.

En ville, la chaleur est étouffante. Les murs chauds font radiateurs.

PAYS FROIDS - PAYS CHAUDS

Sur la Terre, les climats sont très différents. Le soleil brille très fort au-dessus du désert. Aux pôles, il fait toujours froid.

Dans le désert, la température est très élevée le jour, elle peut monter à plus de 50 °C, mais la nuit il peut faire très froid. Il pleut rarement.

Dans les régions polaires, il fait nuit pendant la moitié de l'année et les températures peuvent descendre jusqu'à – 80 °C.

PRÉVOIR LE TEMPS

Connaître le temps qu'il fera demain est important surtout pour les agriculteurs et les personnes qui circulent sur les routes.

La girouette, comme la manche à air, indique la direction du vent.

Le thermomètre donne la température.

Le baromètre permet de savoir quel temps il va faire.

Des bulletins météorologiques sont retransmis à la télévision.

NATURE ET MÉTÉO

Toi aussi, tu peux faire ton bulletin météorologique en observant la nature. Voici quelques astuces.

Au coucher du soleil, le ciel est rouge : signe de vent.

La lune est entourée d'un halo : signe de pluie.

Les hirondelles volent bas : signe d'orage.

Les écailles de pommes de pin s'ouvrent : signe de soleil.

L'EAU

LE CYCLE DE L’EAU
1
2
7
3
7
7
7
4
6

1. À la fonte des neiges, l'eau s'écoule des montagnes et du glacier.

2. L'eau du torrent descend le long de la montagne.

3. Le torrent devient rivière.

4. Au confluent, la rivière rejoint le fleuve.

5. Dans l'estuaire, l'eau du fleuve se mêle à l'eau de mer.

6. De l'eau s'infiltre dans le sol et rencontre des nappes d'eau souterraines dont certaines communiquent avec la mer.

7. Les gouttes d'eau qui s'évaporent sous forme de vapeur d'eau invisible vont former des nuages au contact de l'air plus froid. Si les nuages rencontrent de l'air encore plus froid, la pluie ou la neige tombe, et tout recommence...

Les gouttes d'eau s'évaporent surtout au-dessus des mers : l'évaporation y est plus importante qu'au-dessus des rivières, des champs, des forêts ou des glaciers.

LA GRANDE FORCE DE L'EAU

As-tu déjà vu sur la plage des châteaux de sable renversés par les vagues ? L'eau est puissante. Regarde tout ce qu'elle peut faire.

Les vagues se projettent si violemment contre les falaises qu'elles finissent, au bout de plusieurs années, par en détacher de gros rochers.

Les grottes sont surtout creusées dans une roche tendre, le calcaire, constituée des squelettes d'animaux marins morts il y a des millions d'années. L'eau de pluie, légèrement acide, attaque la roche et s'infiltre dans les fissures puis les élargit. La rivière souterraine ressort en source.

L'eau creuse le sol. Le vent entraîne des poussières qui usent les parois. Et le paysage se modifie sans cesse.

Un fleuve a autrefois creusé cette vallée bordée de hautes parois.

L'eau de pluie a sculpté dans la roche ces « cheminées de fées ».

Le fleuve coule en faisant des boucles appelées méandres. Parfois, ces boucles se ferment et forment un lac qui finit par s'assécher.

LA BANQUISE

Aux pôles, la mer gèle : c'est la banquise. Si elle fondait, le niveau des eaux remonterait et, alors, gare aux inondations !

La banquise est une immense plaque de glace qui flotte sur la mer. Comme elle bouge tout le temps, elle se casse souvent en morceaux plus ou moins gros.

Voici un énorme bloc de glace qui s'est détaché d'un glacier et qui dérive, emporté par les courants. C'est un iceberg. On n'en voit qu'une petite partie à la surface de l'eau, le reste est caché sous la mer.

SOLIDE ? LIQUIDE ? VAPEUR ?

L'eau est un liquide : elle peut couler. Mais, avec le froid, elle gèle et devient solide. Avec la chaleur, elle s'échappe en vapeur.

Mets ton bac à glace rempli d'eau au congélateur.

L'eau est devenue solide. Voici de beaux glaçons.

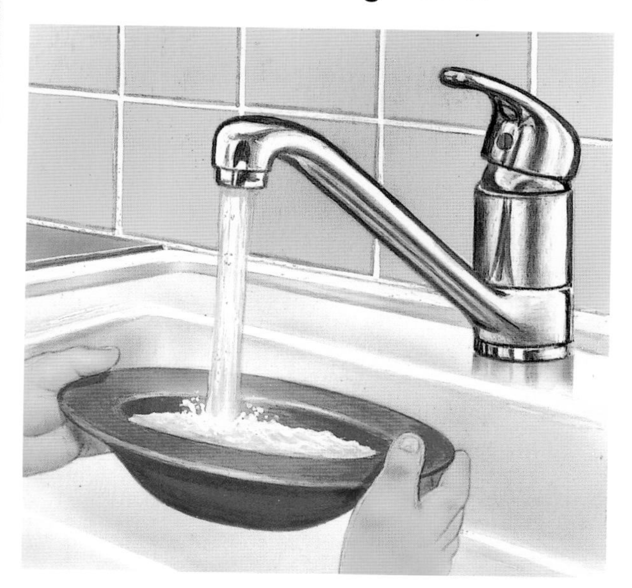

Verse de l'eau au fond d'une assiette. Si tu la poses sur un radiateur, après quelques jours tu trouveras l'assiette vide : l'eau s'est évaporée.

L'EAU INDISPENSABLE À LA VIE

Imagine tout ce que les hommes ne pourraient plus faire s'ils manquaient d'eau. As-tu aussi pensé aux plantes et aux animaux ?

Les hommes et les animaux ont besoin de boire pour vivre.

De nombreux animaux et des plantes vivent dans l'eau.

Sans eau, les plantes se fanent et meurent.

L'eau est aussi une source d'énergie grâce aux barrages.

L'eau est un bien très précieux. Tous les jours, de nombreuses personnes meurent dans le monde par manque d'eau. Il faut donc éviter de la gaspiller et de la polluer.

L'eau refroidit les cuves des centrales nucléaires.

L'eau permet le transport des personnes et des marchandises.

L'eau de mer contient beaucoup de sel, important pour la santé.

Grâce aux courants, les bébés tortues se déplacent sans effort.

L'EAU EN DANGER

L'eau est indispensable à la vie sur Terre, et pourtant nous y déversons un tas de produits qui la rendent sale et imbuvable.

Les usines rejettent parfois dans l'eau des produits dangereux.

Les engrais polluent souvent les nappes d'eau souterraines.

Quand le pétrole se déverse dans la mer, il tue poissons et oiseaux.

Certains produits toxiques empoisonnent l'eau.

LE RELIEF
LES ROCHES

PLAINES ET PLATEAUX

Les plaines et les plateaux sont des étendues de terre presque planes. Les hommes y pratiquent la culture et l'élevage.

Située à faible altitude, la plaine offre un paysage très dégagé composé le plus souvent de champs cultivés et de prés où paissent les animaux.

Le plateau se trouve à moyenne ou à très haute altitude.
Il est souvent entaillé par de profondes vallées.

MONTAGNES JEUNES OU MONTAGNES ANCIENNES

Sais-tu que les montagnes jeunes continuent de grandir sous la poussée de forces venant des profondeurs de la Terre ?

Ces montagnes ont quarante millions d'années. Ce sont pourtant de « jeunes montagnes » aux sommets pointus et aux pentes raides.

Ces montagnes sont beaucoup plus vieilles. Le gel, le vent et la pluie ont arrondi leurs sommets.

UN VOLCAN EN ÉRUPTION

Cette montagne qui crache des pierres et des cendres, c'est un volcan. Un fleuve de lave brûlante s'écoule sur ses pentes.

Un volcan naît, vit plusieurs siècles puis s'éteint. Mais parfois il se réveille brusquement, et peut causer de nombreux dégâts.

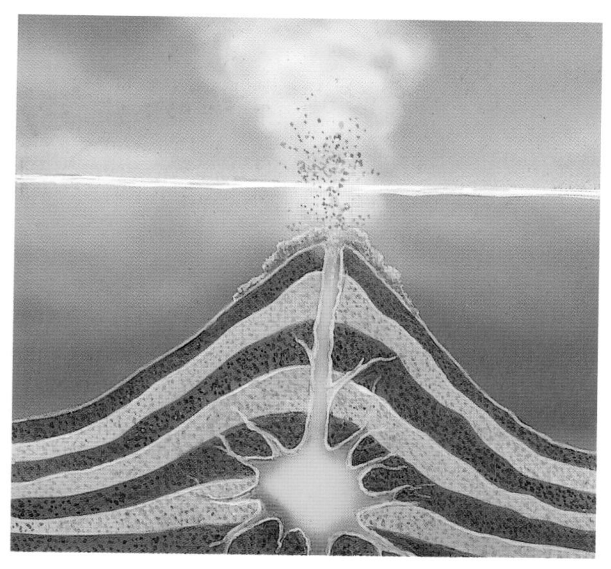

Ce volcan sous-marin grandit à chaque éruption.

Certains volcans surgissent des océans et créent des îles.

Le cratère de ce volcan éteint s'est rempli d'eau de pluie.

Couverts par la végétation, ces volcans se réveilleront-ils ?

LES BORDS DE MER

À marée haute, les vagues se jettent avec force sur les côtes et façonnent les paysages de sable, de falaises ou de rochers.

Le vent a formé les dunes de sable qui arrêtent les vagues.

Cette plage de galets est bordée de hautes falaises.

Certaines îles sont des morceaux de terre qui se sont détachés.

La presqu'île est reliée au continent par un « bras » de terre étroit.

LE FOND DE LA MER

Voici deux paysages sous-marins : celui du haut se trouve juste sous la surface de la mer. Celui du bas est beaucoup plus profond.

Les récifs coralliens sont formés par de minuscules animaux qui se regroupent par milliards et constituent de grands massifs.

Dans les grandes profondeurs, il fait très noir. On rencontre d'étranges poissons et de grosses cheminées qu'on appelle des fumeurs noirs.

DUNES DE SABLE

As-tu déjà vu des dunes au bord de la mer ? Dans le désert, elles deviennent très hautes. Ce sont de véritables montagnes de sable !

Dans le désert, le vent se charge de sable. S'il heurte un rocher ou un obstacle, il dépose son sable. Peu à peu, une nouvelle dune se forme.

Sur les plages aussi, les dunes peuvent être très hautes. Celle du Pilat, en France, est la plus grande d'Europe : elle mesure 117 m de haut !

PAYSAGES DU FROID

Tout près du pôle Nord, on trouve la toundra. Un peu plus au sud, elle laisse place à une autre forme de paysage : la taïga.

La toundra est un paysage sans arbres, composé de buissons, mousses et lichens. L'été, le sol se couvre d'une multitude de fleurs.

La taïga – ou forêt boréale – est une immense étendue de conifères, les seuls arbres qui puissent s'adapter au rude climat du Grand Nord.

PAYSAGES DE FLEUVES

Torrents, rivières et fleuves, dans leur voyage vers la mer, façonnent parfois des paysages de toute beauté.

Voici les plus belles chutes du monde : des centaines de cascades s'alignent en un croissant mesurant plus de 2 km de long.

Arrivé près de la mer, le fleuve dépose parfois le sable ou les alluvions qu'il transportait. Ceux-ci s'accumulent et forment plusieurs bras : c'est un delta.

LES ROCHES SONT UTILES

Connais-tu le nom de ces roches ? Observe-les bien.
Peut-être les as-tu déjà rencontrées, et même utilisées ?

Le granit est une pierre très dure.
Il sert à construire des maisons.

Une roche bleutée, l'ardoise,
recouvre souvent les toits.

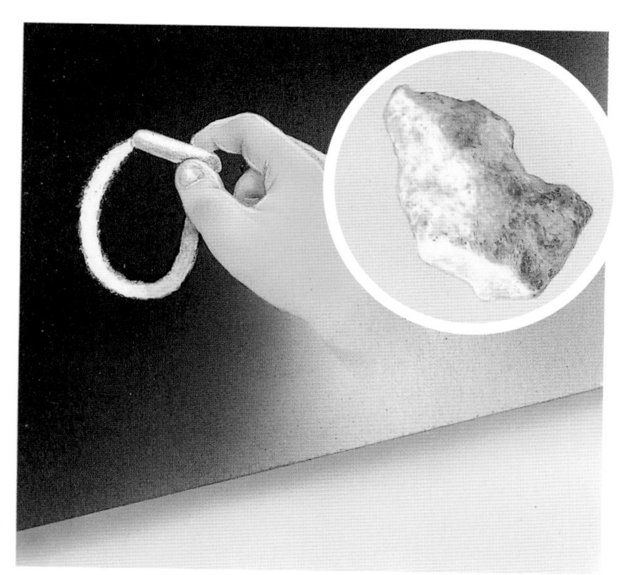

Le calcaire est une roche blanche
avec laquelle on fabrique la craie.

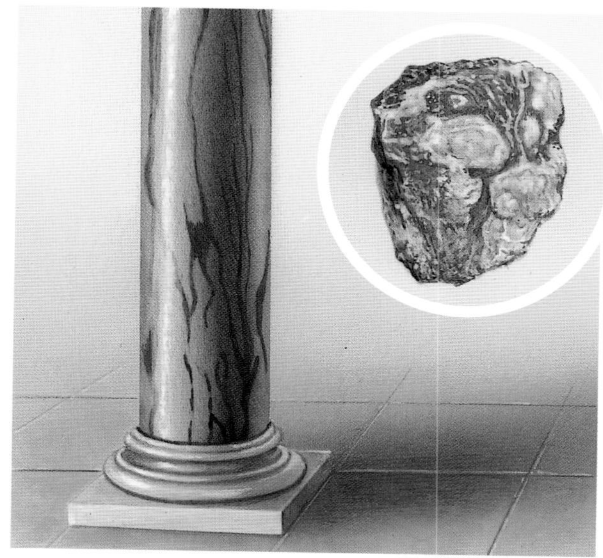

Roche colorée, le marbre
peut être poli et sculpté.

PIERRES PRÉCIEUSES

On a extrait ces pierres du sol. On les a polies pour qu'elles deviennent brillantes, puis taillées pour en faire de beaux bijoux !

le saphir

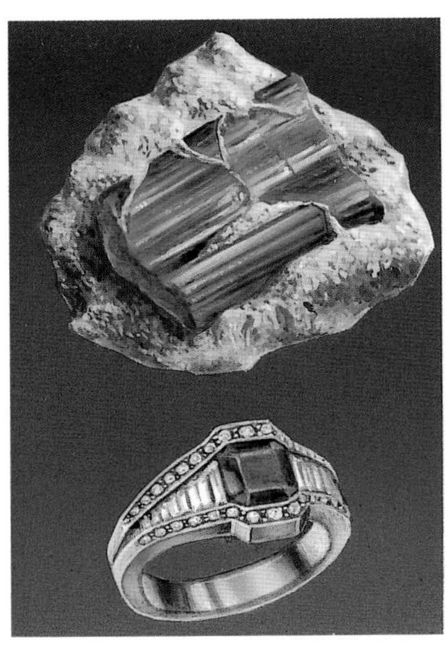

l'émeraude

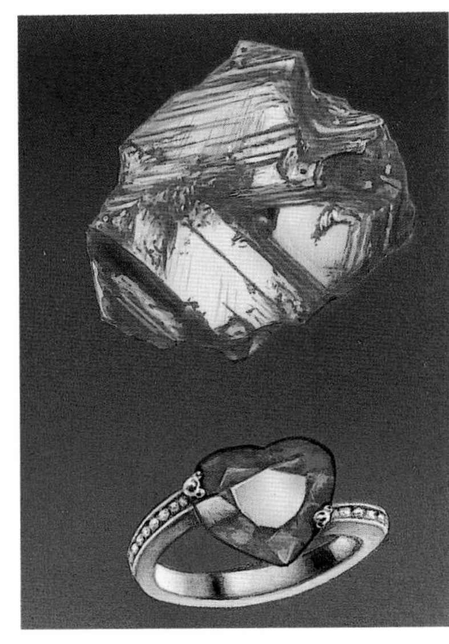

le rubis

le diamant

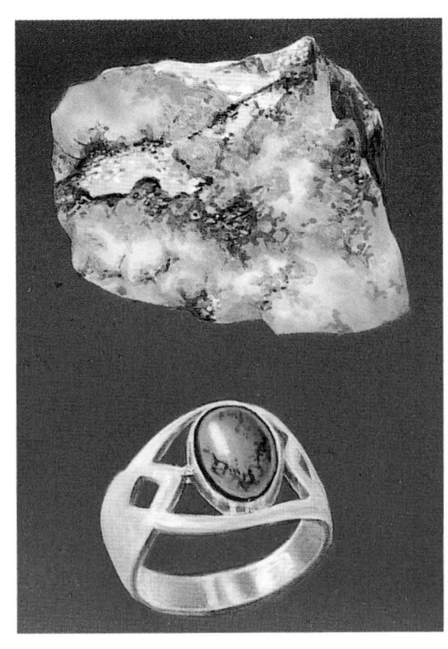

la turquoise

l'aigue-marine

D'OÙ VIENT LE CHARBON ?

Le charbon est une roche toute noire.
En brûlant, il dégage beaucoup de chaleur.

Il y a des millions d'années, l'eau a recouvert les forêts.

Branches et feuilles ont pourri pour former la tourbe.

Tassée sous les pierres, la tourbe est devenue charbon.

On extrait le charbon dans les mines à l'aide d'engins spéciaux.

D'OÙ VIENT LE PÉTROLE ?

Connais-tu l'« huile de pierre » ? C'est le pétrole. Il sert à faire de l'essence. Son histoire remonte à des millions d'années.

De petits animaux se sont décomposés sous l'eau.

Mélangés au sable, ils ont formé une sorte de boue.

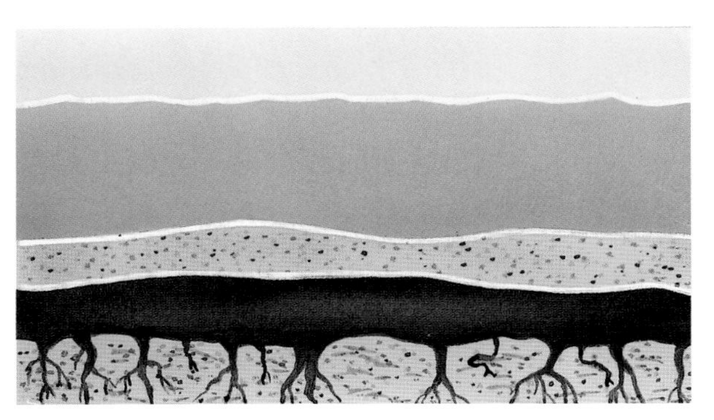

La boue s'est transformée en pétrole qui imbibe les roches.

MDS : 131234N1
ISBN : 978-2-215-08338-2

Dépôt légal à la date de parution.
Conforme à la loi n° 49-956 du 16 juillet 1949
sur les publications destinées à la jeunesse.
Imprimé en Italie (06-18)

le monde des imageries
L'imagerie des bébés
La mer
Dès 1 an
L'imagerie des tout-petits
La mer
Des livres qui gran
Découvre tes pr
POURQUOI COMMENT LA NATURE
POURQUOI COMMENT LA MER
POURQUOI COMMENT L'ESPACE
POURQUOI COMMENT MOYEN ÂGE
POURQUOI COMMENT PRÉHISTOIRE
POURQUOI COMMENT LE CORPS
La collection Pourquoi - comment ? répond aux
L'IMAGERIE ANIMALE LES CHATS
L'IMAGERIE ANIMALE LES FOURMIS
L'IMAGERIE ANIMALE ABEILLES
LA GRANDE IMAGERIE L'INVISIBLE
LA GRANDE IMAGERIE GRENOUILLES
L'EAU, LA VIE
la collection des grandes imageries : animaux - tra
LA GRANDE IMAGERIE PAPILLONS
LA GRANDE IMAGERIE LOUIS XIV
LA GRANDE IMAGERIE L'ESPACE
LA GRANDE IMAGERIE ÉQUITATION
LA GRANDE IMAGERIE LES PIRATES
LA GRANDE IMAGERIE LES ENGINS
32 pages + des images à découper.